PANORAMA

Deutsch als Fremdsprache

Carmen Dusemund-Brackhahn
Andrea Finster
Dagmar Giersberg
Friederike Jin
Verena Paar-Grünbichler
Steve Williams

A 2.1

Übungsbuch

PANORAMA
Deutsch als Fremdsprache
Übungsbuch A2.1

Im Auftrag des Verlages erarbeitet von
Carmen Dusemund-Brackhahn, Andrea Finster, Dagmar Giersberg, Friederike Jin, Verena Paar-Grünbichler, Steve Williams

Redaktion: Claudia Groß, Andrea Mackensen
Redaktionelle Mitarbeit: Lorena Onken
Projektleitung: Gertrud Deutz

Umschlaggestaltung: Rosendahl Berlin, Agentur für Markendesign
Layout und technische Umsetzung: Klein & Halm Grafikdesign, Berlin
Illustrationen: Bianca Schaalburg (S. 16, 67, 68, 85), Tanja Székessy (S. 9, 17, 45, 56, 79, 93)

Tonstudio: Clarity Studio Berlin
Regie: Susanne Kreutzer
Tontechnik: Pascal Thinius, Christian Marx
Sprecherinnen und Sprecher: Denis Abrahams, Helena Goebel, Marianne Graffam, Roman Hemetsberger, Kim Pfeiffer, Benjamin Plath, Vera Schmidt, Felix Würgler

Symbole

 Hörtext auf CD   Prüfungsformat Goethe-Zertifikat A2

Soweit in diesem Lehrwerk Personen fotografisch abgebildet sind und ihnen von der Redaktion fiktive Namen, Berufe, Dialoge und Ähnliches zugeordnet oder diese Personen in bestimmte Kontexte gesetzt werden, dienen diese Zuordnungen und Darstellungen ausschließlich der Veranschaulichung und dem besseren Verständnis des Inhalts.

www.cornelsen.de

Die Webseiten Dritter, deren Internetadressen in diesem Lehrwerk angegeben sind, wurden vor Drucklegung sorgfältig geprüft. Der Verlag übernimmt keine Gewähr für die Aktualität und den Inhalt dieser Seiten oder solcher, die mit ihnen verlinkt sind.

1. Auflage, 1. Druck 2016

Alle Drucke dieser Auflage sind inhaltlich unverändert und können im Unterricht nebeneinander verwendet werden.

Druck: Firmengruppe APPL, aprinta Druck, Wemding

ISBN 978-3-06-120474-7

PEFC zertifiziert
Dieses Produkt stammt aus nachhaltig bewirtschafteten Wäldern und kontrollierten Quellen.
PEFC
PEFC/04-32-0928   www.pefc.de

Inhalt

1 Eine Reise: Deutschland – Österreich – Schweiz

1.1 Was ist das? Ergänzen Sie.

→

1. Sie möchten von Wien nach Berlin fliegen. Sie brauchen ein ...
2. Taschen, Koffer und Rucksäcke sind das ...
3. Sie sind am Flughafen und möchten nach Zürich fliegen. Sie warten auf den ...
4. Sie möchten ins Theater, in die Oper oder in ein Museum gehen. Sie kaufen eine ...

↓

5. Sie möchten mit dem Flugzeug nach München fliegen. Sie fahren mit dem Taxi zum ...
6. Ihr Flug kommt gleich an. Die ... ist in zehn Minuten.
7. Sie machen in Deutschland Urlaub. Sie schicken Ihren Freunden eine ...
8. Eine Freundin aus der Schweiz möchte eine Reise nach Russland machen. Sie braucht ihren ...

Crossword grid:

- 6 down: ANKUNFT (A N K U N F T)
- 7 down: POSTKARTE (P O S T K A R T E)
- 5 down: FLUGHAFEN (F L U G H A F E N)
- 8 down: REISEPASS (R E I S E P A S S)
- 1 across: FLUGTICKET
- 2 across: GEPÄCK
- 3 across: ABFLUG
- 4 across: EINTRITTSKARTE

Lösungswort:

S	E	M	E	S	T	E	R	F	E	R	I	E	N
1	2	3		4	5	6	7	8	9	10	11	12	13

1.2 Was passt? Verbinden Sie. Der Text im Kursbuch auf Seite 10 hilft.

1. einen Flug — g buchen
2. den Rucksack — a packen
3. den Reisepass — f vergessen
4. die Stadt — e besichtigen
5. ein Hotel — b empfehlen
6. keinen Sitzplatz — h bekommen
7. den Weg — c erklären
8. nach dem Weg — d fragen

1.3 Schreiben Sie mit den Wörtern in 1.2 Sätze.

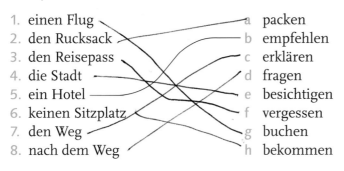

Wir buchen einen Flug. Dann, ~~wir empfehlen~~ ich empfehle meinen Rucksack. Ich muss meinen Reisepass nicht vergessen! Wann wir ankommen, wir besichtigen die Stadt. Mein Freund hat uns ein Hotel empfehlen. Am Flughafen bekommen wir keinen Sitzplatz. Jemand fragt uns den Weg zum ~~~~ Ihren Flugsteig, Wir erklären den Weg.

1.4 Wiederholung: Präpositionen. Was passt? Ergänzen Sie.

am – im – ~~in~~ – ~~in~~ – mit – nach – ~~nach~~ – um – ~~von ... bis~~ – von

1. Björn und Ulrike wollen am Wochenende *von* Wien *bis nach* Salzburg fahren.
   Sie fahren *mit* dem Zug.
2. Das Konzert in der Lukaskirche findet *am* Freitag *um* 19:00 Uhr statt.
3. Die Semesterferien *im* Sommer dauern *in* Deutschland fast drei Monate:
   Sie sind *von* August *bis* Oktober.
4. Pedro und Pavel wollen *nach* dem Mittagessen *in* ein Museum gehen.

1.5 Florians Urlaub. Was ist auf der Reise passiert? Hören Sie und ordnen Sie die Aktivitäten.

a 5 im Meer baden e 3 viel fotografieren
b 8 in Linz ins Konzert gehen f 1 mit dem Auto nach Athen fahren
c 2 viele Sehenswürdigkeiten sehen g 6 am Abend ausgehen
d 4 zu einer Freundin fahren h 7 in den Bergen wandern

1.6 Wiederholung: Perfekt. Was haben Florian und seine Freunde gemacht? Schreiben Sie Sätze in Ihr Heft. Unterstreichen Sie dann die Verben.

> Zuerst _sind_ sie mit dem Auto nach Athen _gefahren_. Dort _haben_ sie ...

2 Perfekt: Er hat seinen Pass vergessen.

2.1 Ordnen Sie die Partizip-II-Formen in die Tabelle und ergänzen Sie den Infinitiv.

entschuldigt erklärt gesucht diskutiert
gebucht verstanden empfohlen
gebadet bekommen gegessen
vergessen gefahren fotografiert
passiert kennengelernt gepackt besichtigt besucht

regelmäßige Verben		unregelmäßige Verben	
(__)ge_____(e)t	_____(e)t	(__)ge_____en	_____ en
	fotografiert (fotografieren)		

2.2 Welche Verben in 2.1 bilden das Perfekt mit *sein*? Unterstreichen Sie.

2.3 Welches Verb passt? Ergänzen Sie die Verben im Perfekt.

~~verstehen~~ – ~~besichtigen~~ – buchen – ~~suchen~~ – packen – ~~bekommen~~ – erklären – besuchen

1. Die Freunde _haben_ zuerst die Rucksäcke _packen_ _gepackt_ .

2. Sie _haben_ in Salzburg am Nachmittag die Stadt _besichtigt_ .

3. Eine Frau _hat_ ihnen in Luzern den Weg _erklärt_ . Die Freunde _haben_

   sie nicht _verstanden_ und _haben_ das Hotel lange _gebucht_ .

4. Gestern _haben_ Herr und Frau Gruber Freunde in Wien _besucht_ .

5. Herr Neuwirt _hat_ am Wochenende im Internet ein Hotel _gebucht_ .

6. Lena hatte am Dienstag Geburtstag. Sie _hat_ von ihren Kollegen

   Blumen _bekommen_ .

✱ 2.4 Helenas Koffer-Geschichte. Was passt? Ordnen Sie zu.

in Rom ankommen, aber der Koffer nicht da sein – zum Flughafen fahren –
den Koffer packen – zur Information gehen und das Problem erklären –
einen Flug nach Rom im Internet buchen – nach zwei Tagen die Sachen endlich bekommen

1. Helena hat einen Flug nach Rom im Internet gebucht.

2. Helena hat ihren Koffer gepackt.

3. Helena ist zum Flughafen gefahren

4. Helena hat in Rom angekommen, aber ihr Koffer war nicht da

5. Helena ist zur Information gegangen und hat ihr Problem erklärt.

6. Nach zwei Tagen hat Helena die Sachen endlich bekommen

✱ 2.5 Schreiben Sie Helenas Geschichte im Perfekt in Ihr Heft.

Helena hat im Internet einen Flug nach Rom gebucht. Dann ...

3 Meine Reise

3.1 Was ist richtig? Lesen Sie und kreuzen Sie an.

Zurück in Bremen! Gestern bin ich nach zwei Monaten Arbeit in Krakau wieder in Bremen angekommen. Die Kollegen in Polen waren sehr nett. Nur der letzte Tag war ein bisschen stressig: Ich habe von den Kollegen Geschenke bekommen und dann haben wir gefeiert. Mein Gepäck war schon im Büro: Ich hatte einen Koffer, meinen Laptop und die Tüten mit Geschenken. Ich habe die Zeit vergessen, deshalb bin ich dann schnell mit dem Taxi zum Flughafen gefahren. Dort habe ich gesehen: Mein Laptop war nicht da! Zum Glück hat mich aber ein Kollege angerufen und hat den Laptop noch mit dem Taxi zum Flughafen gebracht. Das war sehr nett!

	richtig	falsch
1. Karl hat in Krakau gearbeitet.	✓	
2. Die Kollegen haben Karl einen Laptop geschenkt.		✓
3. Karl hat den Laptop in der Firma vergessen.	✓	
4. Er hat den Laptop mit dem Taxi schnell abgeholt.		✓

3.2 Welche Fragen passen? Schreiben Sie.

1. 🗨 *Haben Sie schon einmal den Reichstag in Berlin besichtigt* ?

   👍 Ja, ich habe schon einmal den Reichstag in Berlin besichtigt.

2. 🗨 Haben Sie schon einmal in der Schweiz gemacht! ?

   👍 Nein, ich habe noch nie in der Schweiz Urlaub gemacht.

3. 🗨 Haben Sie schon einmal einen Koffer am Flughafen verloren ?

   👍 Ja, ich habe schon einmal einen Koffer am Flughafen verloren.

4. 🗨 Haben Sie schon einmal einen Geburtstag vergessen ?

   👍 Nein, ich habe noch nie einen Geburtstag vergessen.

1.03 ◉ 3.3 Hören Sie die Fragen und antworten Sie.

1. Haben Sie schon einmal auf einem Schiff geschlafen?
2. Haben Sie schon einmal ein Hotel im Internet gebucht?
3. Sind Sie schon einmal in einem See geschwommen?
4. Sind Sie schon einmal mit einem Motorrad gefahren?
5. Haben Sie schon einmal Ihren Laptop verloren?
6. Haben Sie schon einmal Käsefondue probiert?

> *Ja, ich habe schon einmal auf einem Schiff geschlafen.*

> *Nein, ich habe noch nie auf einem Schiff geschlafen.*

1.03 ◉ 3.4 Schließen Sie das Buch. Hören Sie noch einmal und antworten Sie.

4 Mein Fahrrad ist weg!

4.1 Was ist was? Schreiben Sie die Wörter und ergänzen Sie den Plural.

die Ampel – der Bahnhof – die Bank – die Boutique – die Buchhandlung –
die Bushaltestelle – die Eisdiele – ~~der Park~~ – das Tor

1. der Park, -s
2. die Bank
3. die Eisdiele
4. das Tor
5. die Buchhandlung
6. die Ampel, -n
7. die Boutique
8. die Bushaltestelle
9. der Bahnhof

1.04 🔘 **4.2** Was ist passiert? Hören Sie und kreuzen Sie an.

1. ☐ Jan hat sein Fahrrad bei Marcel vergessen.
2. ☑ Jan hat sein Fahrrad in der Stadt verloren.

1.05 🔘 **4.3** Wie ist Jan gefahren? Wo steht sein Fahrrad? Hören Sie und zeichnen Sie Jans Weg in die Karte in 4.1.

5 Lokale Präpositionen

5.1 Dativ oder Akkusativ? Ergänzen Sie die Artikel.

1. Sebastian arbeitet beim Rathaus. Das Rathaus ist gegenüber von _der_ Post.

2. Er fährt immer mit dem Fahrrad durch _den_ Park bis zum Bahnhof.

3. Einmal ist er mit dem Fahrrad gegen _das_ Tor gefahren.

4. Dann ist er zu Fuß zum Bahnhof gegangen. Auf dem Weg ist er an _der_ Buchhandlung vorbei gegangen.

5.2 Lina geht spazieren. Welche Präposition passt? Ordnen Sie zu und ergänzen Sie die Sätze.

an … vorbei – ~~aus~~ – bis zu – durch – gegen – gegenüber von

1. Um 14 Uhr geht Lina *aus* dem Haus .

3. Sie sitzt *gegenüber von der Post* .

5. Lina läuft *gegen einen Mann* .

2. Sie geht *durch das Tor* .

4. Sie geht *an dem/am Rathaus vorbei* .

6. Später geht sie *bis zur ~~Park~~ einem Baum* und wieder zurück.

6 Bei der Polizei: eine Verlustanzeige machen

6.1 Ergänzen Sie die Informationen zu Ihrer Person.

👄 Guten Tag. Ich habe meinen Wohnungsschlüssel verloren.

👂 …

👄 Okay, kein Problem.

👂 …

👄 Ich war gestern Abend in der Disko am Bahnhof. Um 22 Uhr hatte ich den Schlüssel noch, aber um 1:30 Uhr war er weg.

👂 …

👄 Ich heiße _____ . Meine Adresse ist _____

_____ und meine Telefonnummer ist _____ .

👂 …

👄 Gern. Wo?

👂 …

👄 Vielen Dank, auf Wiedersehen.

1.06 ◎ **6.2** Karaoke. Hören Sie und sprechen Sie die 👄-Rolle.

7 Wien

7.1 Wien an einem Tag. Sie möchten eine Tagestour in Wien machen. Welche Tour passt?
Lesen Sie und kreuzen Sie an.

Wien erleben ~ an einem Tag!

Tour 1 ~ **Wien zu Fuß erleben** ~ Ein Spaziergang durch das Zentrum: Treffpunkt am Karlsplatz, weiter zur Hofburg, Burggarten und Burgtor kennenlernen, von dort zum Rathaus, am Ende den Stephansdom besichtigen.

Tour 2 ~ **Wiener Ringstraße** ~ Mit dem Bus an allen wichtigen Sehenswürdigkeiten vorbei: Rathaus und Universität besichtigen, im Wiener Prater Riesenrad fahren, Besuch im Burgtheater (*Dantons Tod*) oder in der Staatsoper (*Tristan und Isolde*) – Eintrittskarten kosten extra.

Tour 3 ~ **Kaiserstadt Wien** ~ Vormittags: Schloss Schönbrunn kennenlernen – Spiegelsaal, Wohn- und Arbeitszimmer von Kaiser Franz Joseph besichtigen, Spaziergang durch den Schlosspark. Nachmittags: Hofburg besichtigen – Sisi-Museum, Kaffee und Kuchen im Café Hofburg.

Tour 4 ~ **Wien für Feinschmecker** ~ Spaziergang über den Naschmarkt (österreichische und internationale Spezialitäten probieren), Besuch in einem traditionellen Kaffeehaus: Sacher-Torte und Mélange (Wiener Milchkaffee) genießen, Weinprobe und typische Wiener Küche beim Heurigen (Restaurant).

1. Sie gehen gern spazieren und wollen alle wichtigen Sehenswürdigkeiten besichtigen.
   a ☐ Tour 1   b ☐ Tour 2   c ☐ andere Tour

2. Sie wollen Spezialitäten aus Österreich kennenlernen.
   a ☐ Tour 3   b ☐ Tour 4   c ☐ andere Tour

3. Sie möchten auch am Abend ausgehen.
   a ☐ Tour 1   b ☐ Tour 3   c ☐ andere Tour

4. Sie wollen die Hofburg besichtigen. Sie finden die Kaiserzeit interessant.
   a ☐ Tour 2   b ☐ Tour 3   c ☐ andere Tour

7.2 *Deshalb*. Schreiben Sie Sätze.

1. In Wien gibt es viele Sehenswürdigkeiten. Jedes Jahr kommen viele Touristen.
2. Viele Touristen wollen Spezialitäten aus Österreich probieren.
   Sie besuchen den Naschmarkt.
3. Die Kaiserin Sisi kennt jeder. Das Sisi-Museum in der Hofburg ist sehr beliebt.
4. Die Touristen sitzen oder liegen gern auf den Sofas im Museumsquartier.
   Man findet dort oft keinen Platz.

1. In Wien gibt es viele Sehenswürdigkeiten,
deshalb kommen …

1.07 ⊙ **7.3** Diktat. Hören und ergänzen Sie. Nutzen Sie die Pausentaste (⏸).

Hundertwasserhaus

Riesenrad im Prater

Stephansdom

Wien hat _____, zum Beispiel den Stephansdom im

Zentrum. Der Stephansdom ist _____. _____ seit 1147

_____ Meter _____. Dann gibt es auch das Hundertwasserhaus. Der Architekt war

Friedensreich Hundertwasser. _____ und _____.

Aber in dem Haus _____. Es gibt dort _____.

Auch der Wiener Prater – _____ – ist sehr bekannt. Das Riesenrad kennt

jeder. Hier gibt es viele Karussells, _____.

8 Ihre Heimatstadt

1.08 ⊙ **8.1** Was erzählt Clara über Wiener Neustadt? Hören Sie und machen Sie Notizen.

Wie ist die Stadt?	Was gibt es in der Stadt?	Was kann man dort machen?
- nicht groß, nicht klein		

8.2 Und Ihre Heimatstadt? Schreiben Sie einen Text über Ihre Heimatstadt in Ihr Heft.

Und in Ihrer Sprache?

Ihre Freundin / Ihr Freund versteht kein Deutsch und möchte eine Tour durch Wien machen.
Beschreiben Sie ihr/ihm das Angebot aus 7.1 in Ihrer Muttersprache.

1 Alles klar?

1 Über eine Reise erzählen: Schreiben Sie die Verben im Perfekt.

Martha _____ mit ihrer Familie im Sommer in die Schweiz _____ (*fahren*).
Martha, ihr Mann Ronald und die Kinder _____ fünf Tage in Zürich _____
(*bleiben*). Sie _____ zuerst die Stadt _____ (*besichtigen*). Dann _____ sie
eine Tante von Ronald _____ (*besuchen*). Der Bodensee _____ ihnen auch sehr
gut _____ (*gefallen*). Sie möchten auch nächstes Jahr wieder in die Schweiz fahren.

Punkte 10

2 Eine Verlustanzeige bei der Polizei machen: Welche Antwort passt? Kreuzen Sie an.

1. Guten Tag, was kann ich für Sie tun?
   a ☐ Vielen Dank für Ihre Hilfe.
   b ☐ Guten Tag, ich möchte eine Verlustanzeige machen.

2. Wo haben Sie Ihr Handy verloren?
   a ☐ Ich weiß es leider nicht.
   b ☐ Ich glaube, am Freitagnachmittag.

3. Wann war Ihr Handy weg?
   a ☐ Das Handy ist ganz neu.
   b ☐ Heute Morgen. Gestern hatte ich es noch.

4. Haben Sie in den Geschäften gefragt?
   a ☐ Ja, aber dort ist es auch nicht.
   b ☐ Ja, ich habe das Geschäft gefunden.

Punkte 4

3 Eine Stadt beschreiben: Schreiben Sie die Sätze zu Ende.

1. Meine Stadt ist nicht groß und nicht klein, deshalb _____
   _____ . (*man – hier gut – leben können*)

2. Hier gibt es viele Sehenswürdigkeiten, deshalb _____
   _____ . (*viele Touristen – die Stadt – besuchen*)

3. Im Zentrum sind viele Cafés und Bars, deshalb _____
   _____ . (*die Stadt – für Studenten sehr interessant – sein*)

Punkte 6

Punkte gesamt
17–20: Super!
11–16: In Ordnung.
0–10: Bitte noch einmal wiederholen!

Seite 10–11

das Flugticket, -s _____

der Flughafen, -ä- _____

der Abflug, -ü-e _____

    abfliegen, er/sie ist abgeflogen _____

    _____

    ankommen, er/sie ist angekommen _____

    _____

die Eintrittskarte, -n _____

das Gepäck (Sg.) _____

die Postkarte, -n _____

die Semesterferien (Pl.) _____

die Entscheidung, -en _____

    da sein

    Die Entscheidung war schnell da. _____

    _____

der Flug, -ü-e _____

    buchen _____

der Rucksack, -ä-e _____

der Anfang, -ä-e _____

    stressig _____

der Reisepass (Pass), -ä-e _____

    verlieren, er/sie hat verloren _____

    _____

    besichtigen _____

die Burg, -en _____

das Wohnhaus, -äu-er _____

der Sitzplatz, -ä-e _____

    hoffentlich _____

    sofort _____

Seite 12–13

die Eisdiele, -n _____

die Boutique, -n _____

die Buchhandlung, -en _____

    durch (+ Ort) _____

das Tor, -e _____

    gegen (+ Ort) _____

die Bank, -en _____

    an ... (+ Ort) vorbei _____

    Wir sind an der Bank vorbei gegangen. _____

    gegenüber von (+ Ort) _____

die Handtasche, -n _____

    weg sein _____

    Meine Tasche ist weg! _____

die Verlustanzeige, -n _____

    Ich habe eine Verlustanzeige gemacht. _____

der Park, -s _____

die Geldbörse, -n _____

Seite 14–15

der Bundespräsident, -en _____

die Bundespräsidentin, -nen _____

    mehrer- _____

die Kultur, -en _____

    z. B. (zum Beispiel) _____

    sitzen, er/sie hat gesessen _____

die Bar, -s _____

    genießen, er/sie hat genossen _____

die Natur (Sg.) _____

    bieten, er/sie hat geboten _____

die Öffnungszeit, -en _____

    unbedingt _____

1 Ins Ausland gehen

1.1 Kommunizieren. Was passt?
Ergänzen Sie. Achten Sie bei
den Verben auf die richtige Form.

skypen (2x) – chatten (2x) –
telefonieren – Computer –
Smartphone – E-Mail – schicken

Leyla, 21

Ich lebe jetzt schon seit zwei Monaten im Ausland, aber ich kommuniziere viel mit meiner

Familie und meinen Freunden in der Heimat.

Ich habe ein _____ und habe es immer bei mir. Das finde ich praktisch. Ich

schicke Nachrichten oder Fotos an alle meine Freunde und bekomme natürlich auch von meinen

Freunden viele Nachrichten. Wir _____ manchmal fünfmal am Tag.

Mit meinem Freund _____ ich auch, aber nur schreiben ist nicht genug.

Wir möchten uns auch hören und sehen. Deshalb _____ wir oft, fast jeden Tag.

Mit meinen Eltern _____ ich auch manchmal, aber normalerweise _____

sie mir eine _____. Und dann gibt es noch meinen Opa. Er hat keinen

_____. Das ist zu modern für ihn. Aber ich rufe ihn einmal im Monat an und

dann _____ wir.

1.2 Radiointerviews. Welches Bild passt zu wem? Hören Sie und ordnen Sie zu.

1. ☐ Herr Schweikert
2. ☐ Frau Simonis
3. ☐ Herr Wang

1.3 Was ist richtig? Hören Sie noch einmal und kreuzen Sie an.

	richtig	falsch
1. Herr Schweikert ist Student.	☐	☐
2. Herr Schweikert kommt aus Schweden.	☐	☐
3. Herr Schweikert besucht einen Schwedischkurs.	☐	☐
4. Frau Simonis möchte nach Brasilien umziehen.	☐	☐
5. Ihr Mann hat Umwelttechnik studiert.	☐	☐
6. Sie schreibt ihrem Mann viele E-Mails.	☐	☐
7. Herr Wang hat eine Stelle in Deutschland.	☐	☐
8. Er hat früher als Schüler Deutsch gelernt.	☐	☐
9. Herr Wang hatte schon zweimal Besuch von seinen Eltern.	☐	☐

1.4 Ein Leben in Deutschland. Schreiben Sie einen Text über Frau Oliveira.

– schon seit zwei Jahren in Deutschland leben
– mit ihrem Mann nach Deutschland kommen
– ihr Mann: eine Stelle als Arzt in München bekommen
– eine Arbeit suchen
– als Programmiererin arbeiten wollen
– für die Arbeit Deutsch lernen
– viel mit ihren Eltern chatten und skypen

Marta Oliveira Pinto

Frau Oliveira lebt schon seit zwei Jahren in Deutschland. Sie ist ...

2 Warum? Weil ... Nebensätze mit *weil*

2.1 Warum leben diese Menschen in Deutschland? Schreiben Sie die Antworten in die Tabelle.

Jacek Mazur	Alina Melnek	Nika Mussawi	Jennifer Albers	Giorgio Fontana
Die Chancen für Techniker sind dort besser.	Sie studiert Musik in Köln.	Seine Frau hat eine Stelle in Stuttgart bekommen.	Sie möchte einen Sprachkurs machen.	Seine Freundin kommt aus Deutschland.

		Satzende (Verb)
... lebt in Deutschland,	weil die Chancen für Techniker dort besser	sind.

2.2 Warum-Fragen. Was passt zusammen? Verbinden Sie.

1. Warum muss er einen Sprachkurs machen?
2. Warum können die Eltern oft kommen?
3. Warum will er nach Japan auswandern?
4. Warum sucht sie eine Arbeit?
5. Warum sind die Eltern nicht so glücklich?

a Ihre Tochter möchte ins Ausland gehen.
b Das war schon immer sein Traum.
c Sie hat ihre Stelle verloren.
d Er hat in der Schule kein Deutsch gelernt.
e Die Flüge sind günstig.

2.3 Schreiben Sie die Antworten zu den Fragen in 2.2 mit *weil*.

1. Er muss einen Sprachkurs machen, weil er ...

2.4 Was passt? Ordnen Sie zu und schreiben Sie Antworten mit *weil*.

1. Warum machst du das Fenster auf?
2. Warum geht Herr Bianchini heute nicht zur Arbeit?
3. Warum will Marianne jetzt nicht spazieren gehen?
4. Warum antwortet meine Freundin nicht?

regnen – Kopfschmerzen haben – ~~warm sein~~ – ihr Handy kaputt sein

> 1. Ich mache das Fenster auf, weil es warm ist.

5. Warum kannst du deinen Laptop nicht benutzen?
6. Warum sind Kim und Mitja so müde?
7. Warum findet Herr Thimm die Buchhandlung nicht?
8. Warum kann Frau Kovac nicht mit dem Auto fahren?

den Zettel mit der Adresse vergessen – ~~das Ladekabel zu Hause vergessen~~ – gestern lange auf der Party bleiben – ihren Autoschlüssel verlieren

> 5. Ich kann meinen Laptop nicht benutzen, weil ich das Ladekabel zu Hause vergessen habe.

3 Telefongespräche mit einer Sprachschule

3.1 Was passt zusammen? Verbinden Sie.

1. Ist Frau Schindler heute nicht da?
2. Könnten Sie mir die Durchwahl geben?
3. Ich möchte mit Frau Marx sprechen.
4. Sprachschule Bolte, mein Name ist Sander. Guten Tag.

a Bitte wählen Sie die 879 58 und dann 745.
b Einen Moment, ich verbinde.
c Guten Tag, mein Name ist Rau. Ich möchte ...
d Doch, aber sie macht gerade eine Pause. Bitte rufen Sie in 20 Minuten noch einmal an.

3.2 Was sagt Frau Rüders in welcher Situation? Ordnen Sie zu.

Könnte ich bitte mit Frau Marx sprechen?

a Einen Moment, ich verbinde.
b Frau Marx ist heute leider nicht da.
c Tut mir leid, bei Frau Marx ist besetzt. Bitte probieren Sie es später noch einmal.

...

Martin Kohl

Eva Rüders

4 Höfliche Bitten: Könnten Sie ...?

4.1 *Könnten Sie ...?*, *Könntest du ...?* oder
Könntet ihr ...? Schreiben Sie höfliche Bitten.

1. Entschuldigung, könnten Sie mir ...

mir einen Stift geben   die Flasche holen   mir die Handynummer   ein Taxi rufen
                                                           sagen

1.10 4.2 Hören Sie und sprechen Sie nach.

5 Ein Telefongespräch führen

5.1 Was passt? Ordnen Sie die Sätze zu und ergänzen Sie die Informationen für Ihre Person.

Tut mir leid, um neun Uhr kann ich nicht. Ich arbeite bis ... Uhr, kann ich danach kommen? –
Natürlich, ich buchstabiere: ... – Ich danke auch. Auf Wiederhören. –
Guten Tag, mein Name ist ... Ich möchte einen Deutschkurs machen. –
Ich arbeite am Tag, deshalb möchte ich einen Abendkurs machen. – Ja gern, ich heiße ...

Sprachschule Panorama, mein Name ist Mackensen, guten Tag.

_____

Ja, gern. Möchten Sie einen Abendkurs oder einen Intensivkurs machen?

_____

Gut. Könnten Sie am Montag zu einem Einstufungstest kommen? Wir haben von neun bis
18 Uhr geöffnet. Sie können gleich um neun Uhr kommen.

_____

Ja, das geht auch. Sagen Sie mir bitte noch einmal Ihren Namen.

_____

Ich habe Sie leider nicht verstanden. Könnten Sie bitte buchstabieren?

_____

Danke. Das ist alles. Dann bis Montag. Auf Wiederhören.

_____

1.11 5.2 Karaoke. Hören Sie und sprechen Sie die 〰-Rolle.

6 Lernen im Tandem. Was ist richtig? Lesen Sie und kreuzen Sie an.

20 Jahre Sprachschule Hansa

Seit 20 Jahren macht die Sprachschule Hansa Sprachkurse für Deutsch und seit zehn Jahren hat sie ein besonderes Angebot: Sie organisiert Sprachtandems und bringt Deutsche mit Menschen aus der
5 ganzen Welt zusammen. Frau Meister von der Sprachschule Hansa hat uns erklärt, wie die Tandems funktionieren: „Zum Beispiel sprechen eine Deutsche und ein Koreaner zusammen, mal auf Deutsch, mal auf Koreanisch. So können sie mit einem Mutter-
10 sprachler die Fremdsprache üben und oft auch neue Freunde finden."

Aisha F.

Aisha F., Umwelttechnikerin aus Kiel, macht schon seit drei Jahren bei dem Tandemprogramm mit und hatte schon viele Tandempartner.
15 „Am Anfang geht man oft ins Café und nach dem ersten Termin ist dann meistens schon klar: Den finde ich nett, das passt. Oder man sagt: Danke, das
20 war interessant, aber wir passen nicht so gut zusammen." Im Moment hat Aisha zwei Tandempartner: Mit dem einen spricht sie Spanisch und mit dem anderen lernt sie Kisuaheli. Aisha hat ein Jahr in Kenia gearbeitet. Jetzt arbeitet sie wieder in

Deutschland und spricht bei der Arbeit nur Deutsch. 25 Aber Sprachen sind ihr Hobby: „Ich liebe Sprachen, sie sind eine Brücke in eine neue Welt", erzählt sie und deshalb lernt sie immer wieder neue Sprachen.

Jenari M.

Die Tandempartner von der Hansa-Schule können auch in verschie- 30 denen Städten leben. Jenari M. aus Indonesien studiert in Jakarta und lernt Deutsch an der Universität. Seit drei Monaten skypt er mit Maria L., Lehrerin aus Erlangen. 35
Jede Woche gehen sie ins Internet und sprechen eine Stunde Deutsch und eine Stunde Indonesisch. „Ich finde das Tandemprogramm super. So habe ich Kontakt zur Sprache", sagt Jenari. In seiner Heimat sprechen nicht so viele Leute Deutsch.
An diesem Samstag feiert die Sprachschule Hansa 40 ihren 20. Geburtstag und lädt wie jedes Jahr zu einem bunten Programm ein. Auch Aisha F. will kommen: „Das ist immer toll. Es gibt den ganzen Tag Mini-Sprachkurse und am Abend findet eine Tandem-Party statt. Dort kann man zu Musik aus 45 vielen Ländern tanzen und natürlich neue Tandempartner kennenlernen."

1. Die Sprachschule Hansa
   a ☐ bietet Sprachkurse für Deutsche an.
   b ☐ möchte bald auch Sprachtandems anbieten.
   c ☐ hat schon ein Tandemprogramm.

2. Aisha F.
   a ☐ sucht einen Tandempartner für Kisuaheli.
   b ☐ macht schon seit mehr als einem Jahr Sprachtandems.
   c ☐ findet Sprachtandems nicht so interessant.

3. Aisha F. lernt Fremdsprachen,
   a ☐ weil sie Fremdsprachen für die Arbeit braucht.
   b ☐ weil sie gern Sprachen lernt.
   c ☐ weil sie ins Ausland gehen möchte.

4. Jenari M. und Maria L.
   a ☐ leben beide in Deutschland.
   b ☐ möchten ein Sprachtandem anfangen.
   c ☐ skypen einmal pro Woche.

5. Am Samstag kann man in der Sprachschule
   a ☐ neue Leute kennenlernen.
   b ☐ einen Tanzkurs machen.
   c ☐ Aishas Geburtstag feiern.

7 Sprachlernbiografien

7.1 Ergänzen Sie das Formular für Ihre Person.

Tandemprogramm   **Sprachschule Hansa**

Anmeldeformular

Vorname: ....   Familienname: ....

Geburtsdatum: ....

Adresse: ....

Muttersprache: ....   Fremdsprachen: ....

Wo haben Sie Deutsch gelernt? ....

Wie lange haben Sie schon Deutsch gelernt? ....

Welche Themen finden Sie interessant? Kreuzen Sie drei Themen an.

○ Studium   ○ Beruf   ○ Essen und Trinken   ○ Sport
○ Reisen   ○ Shoppen ○ Politik   ○ Geschichte

Wann haben Sie Zeit für das Tandemtreffen?
....

1.12 ⊙ 7.2 Diktat. Hören und ergänzen Sie. Nutzen Sie die Pausentaste (❙❙).

Ich bin Studentin und habe in Portugal _____

_____ . Ich möchte gern ein _____ ,

weil es dort viele Firmen für Umwelttechnik gibt. _____

_____ , aber ich habe viele Wörter vergessen und die Grammatik

_____ so gut. Aber ich habe viel allein wiederholt. Ich _____

_____ auf Deutsch.

Jetzt kann ich schon _____ , aber ich möchte auch _____

_____ , weil ich Deutsch _____ und schreiben möchte.

7.3 Und Sie? Warum lernen Sie Deutsch? Schreiben Sie einen Text.

Ich lerne Deutsch, weil ...

8   Kurse für alle

8.1   Welcher Kurs passt zu welcher Person? Lesen Sie und ordnen Sie zu. Für eine Person gibt es keinen Kurs. Schreiben Sie dort ☒.

KURSE FÜR ALLE –
Unser Kursangebot im Sommer

1   **Fotografieren in den Sommerferien**

Kinder von 10–12 Jahren können in diesem Kurs fotografieren lernen. Wir gehen in die Stadt und fotografieren verschiedene Motive.
Treffpunkt: VHS, Fotolabor
5 Termine, 29.7.–2.8.
Montag–Freitag, 11–15 Uhr
128,00 €
Dirk Kundtmann

2   **Intensivkurs Italienisch**

Italienisch lernen beim Essen: In diesem Wochenendkurs lernen Sie auf Italienisch einkaufen und im Restaurant bestellen. Danach essen wir zusammen.
Augustinergymnasium, Raum 102, Erdgeschoss
Samstag, 11.7. und Sonntag 12.7.: 10–18 Uhr
120,00 € (+20,00 € für Essen)
Martina Rossi

3   **Schnellkurs Italienisch für Anfänger**

Sie haben noch nicht Italienisch gelernt, können aber Spanisch oder Französisch? Dann sind Sie in diesem Kurs richtig.
Alfred-Brendel-Schule, Bibliothek, Erdgeschoss
10 Termine, 27.7.–29.8.
Montag, Mittwoch, 18:30–21:30 Uhr
120,00 €
Julia Berti

4   **PowerPoint für Anfänger 1**

Sie haben noch nie mit PowerPoint gearbeitet und Sie möchten es gerne probieren? Kommen Sie zum Anfängerkurs für Erwachsene.
Alfred-Brendel-Schule, Computerraum, 3. Stock
Samstag, 22.8., 14–17 Uhr
18,00 €
Dr. Simone Ruf

5   **PowerPoint für Anfänger 2**

Sie haben schon mit PowerPoint gearbeitet, aber Sie haben noch viele Fragen? Dann sind Sie in diesem Kurs richtig.
Alfred-Brendel-Schule, Computerraum, 3. Stock
Samstag, 29.8., 14–17 Uhr
18,00 €
Dr. Simone Ruf

6   **Tanzabend**

Sie haben schon Walzer, Tango, Samba und Foxtrott gelernt und möchten die Tänze nicht wieder vergessen? Jeden Sonntagabend tanzen wir zusammen mit den Tanzlehrern.
Vereinshaus Süd, Ballraum, Erdgeschoss
9 Abende, 5.7.–30.8.
Sonntag, 18–20 Uhr
62,00 €
Sonia Costa und Philipp Leistner

---

a ☐   Anna Suleyman hat eine neue Stelle und muss viele Präsentationen machen. Sie hat an der Universität schon ein bisschen mit PowerPoint gearbeitet, aber sie hat viel vergessen.

b ☐   Frau Meier möchte am Wochenende abends ein bis zwei Stunden etwas Schönes machen.

c ☐   Herr Stankov hat eine neue Kamera gekauft und möchte fotografieren lernen.

d ☐   Herr und Frau Binder möchten Italienisch lernen, weil sie im September nach Italien fahren. Sie haben am Wochenende oder abends nach acht Uhr Zeit.

8.2 Wiederholung: Datum und Zeitangaben. Lesen Sie noch einmal das Kursangebot in 8.1 und beantworten Sie die Fragen.

1. Von wann bis wann ist der „Schnellkurs Italienisch für Anfänger"?
2. Wann beginnt der „Intensivkurs Italienisch"?
3. Wie lange dauert der Kurs „Fotografieren in den Sommerferien"?
4. Wie oft pro Woche findet der „Schnellkurs Italienisch für Anfänger" statt?
5. Wie viele Wochen gibt es den „Tanzabend"?
6. Wie lange dauert der „Tanzabend" am Sonntag?

> 1. Der „Schnellkurs Italienisch für Anfänger" ist vom siebenundzwanzigsten Juli (27.7.) bis zum neunundzwanzigsten August (29.8.).

1.13 **8.3** Ein Kurs an der Volkshochschule. Was ist richtig? Hören Sie und kreuzen Sie an.

1. Herr Rimkus
   a ☐ hat schon einen Fotokurs gemacht.
   b ☐ möchte einen Fotokurs machen.
   c ☐ möchte ein Programm bekommen.

2. Herr Rimkus hat
   a ☐ noch nie fotografiert.
   b ☐ viel mit einem Foto-Buch gelernt.
   c ☐ im Urlaub viel fotografiert.

3. Im Fotokurs
   a ☐ sind immer nur 6 – 8 Teilnehmer.
   b ☐ sind maximal 12 Teilnehmer.
   c ☐ bekommt man eine Kamera.

4. Herr Rimkus möchte den Kurs
   a ☐ am Samstag machen.
   b ☐ am Sonntag machen.
   c ☐ am Mittwoch machen.

5. Herr Rimkus möchte
   a ☐ nächste Woche anfangen.
   b ☐ lieber einen anderen Kurs machen.
   c ☐ doch keinen Kurs machen, weil es zu teuer ist.

8.4 Und Sie? Welche Kurse haben Sie schon besucht? Welche Kurse würden Sie gern besuchen? Schreiben Sie Sätze in Ihr Heft.

Und in Ihrer Sprache?

Ihre Freundin / Ihr Freund versteht kein Deutsch und möchte einen Sprachkurs (Deutsch für Anfänger) machen. Lesen Sie den Flyer und erklären Sie in Ihrer Muttersprache: Wann kann sie/er einen Kurs machen? Was muss sie/er vor dem Kurs tun? Wo gibt es mehr Informationen?

Sprachschule Global	*Englisch, Französisch, Spanisch und Deutsch als Fremdsprache:*	*Einstufungstests für alle Kurse:*
Sie möchten eine Fremdsprache lernen? Unsere Kurse sind sehr beliebt. Lernen Sie bei uns mit Muttersprachlern in kleinen Gruppen.	Die Kurse beginnen jeden ersten Montag im Monat. ***Chinesisch, Arabisch u. a.*** Kontakt: Frau Berning (-534)	Montag – Donnerstag, 10 – 16 Uhr. Unser Sprachkursteam berät Sie gern. (Tel. 2532-200) mehr Informationen unter www.sprachschuleglobal.de

Alles klar?

1 Über Migrationswünsche sprechen. Schreiben Sie Sätze mit *weil*.

1. Abunya möchte nach Österreich gehen. (Ihr Freund ist Österreicher.)
2. Hüsein hat sein Heimatland verlassen. (In Deutschland sind seine Chancen besser.)
3. Irina besucht oft ihre Eltern in der Heimat. (Die Fahrt mit dem Bus ist nicht so teuer.)
4. Shuo chattet viel. (Er will den Kontakt zu seinen Freunden in der Heimat nicht verlieren.)

> 1. Abunya möchte ...

Punkte
4

1.14 **2** Telefongespräche führen. Welche Antwort passt? Hören Sie und kreuzen Sie an.

1. a ☐ Bei Frau Müller ist besetzt.
   b ☐ Danke.

2. a ☐ Guten Tag, ich würde gern mit Herrn Schauerte sprechen.
   b ☐ Könnten Sie mir die Durchwahl geben?

3. a ☐ Ja, bitte.
   b ☐ Einen Moment, bitte, ich verbinde.

4. a ☐ Tut mir leid, Frau Tanner ist heute nicht da.
   b ☐ Das ist nett, vielen Dank.

Punkte
4

3 Sich über Sprachkurse informieren. Schreiben Sie Fragen zu den Antworten.

1. 💬 _____ ?

   👍 Natürlich. Wir haben verschiedene Kurse. Wann haben Sie Zeit?

2. 💬 _____ ?

   👍 Nein, leider gibt es keine Kurse am Nachmittag.

3. 💬 _____ ?

   👍 Ja, Sie müssen einen Einstufungstest machen.

4. 💬 _____ ?

   👍 Der Intensivkurs kostet 280 Euro.

Punkte
4

4 Über Sprachlernbiografien sprechen. Schreiben Sie Antworten in Ihr Heft.

Deutsch für den Beruf brauchen – (der) Sprachkurs an der Volkshochschule –
(die) A2-Prüfung – sieben Monate

1. Seit wann lernen Sie Deutsch?
2. Wo haben Sie Deutsch gelernt?
3. Warum lernen Sie Deutsch?
4. Wollen Sie eine Prüfung auf Deutsch machen?

Punkte
8

Punkte gesamt
17–20: Super!
11–16: In Ordnung.
0–10: Bitte noch einmal wiederholen!

Seite 16–17

akzeptieren _____

aufmachen _____

auswandern _____

chatten _____

kommunizieren _____

skypen _____

surfen _____

verlassen, er/sie verlässt, er/sie hat verlassen ____

_____

weil _____

der Übersetzer, - _____

die Übersetzerin, -nen _____

der Wunsch, -ü-e _____

die Brücke, -n _____

die Chance, -n _____

die Hoffnung, -en _____

die Migration (Sg.) _____

die Stelle, -n _____

Seite 18–19

die Fremdsprache, -n _____

die Übersetzung, -en _____

besetzt (sein) _____

Bei Frau Li ist besetzt. _____

_____

drücken _____

verbinden, er/sie hat verbunden _____

_____

wählen _____

die Durchwahl, -en _____

die Rechnung, -en _____

die Taste, -n _____

der Intensivkurs, -e _____

der Einstufungstest, -s _____

das Tandem, -s _____

könnte- _____

Könnten Sie morgen den Test machen? _____

der Muttersprachler, - _____

die Muttersprachlerin, -nen _____

Seite 20–21

die Politik (Sg.) _____

die Volkshochschule (VHS), -n _____

diskutieren _____

werden, er/sie wird, er/sie ist geworden _____

_____

Er möchte Schauspieler werden. _____

_____

der Anfänger, - _____

die Anfängerin, -nen _____

der Tanz, -ä-e _____

Deutsch aktiv 1|2 / Panorama 1

bestellen _____

die Hausaufgabe, -n _____

das Schloss, -ö-er _____

die Bühne, -n _____

nördlich von _____

östlich von _____

südlich von _____

westlich von _____

der Norden (Sg.) _____

der Osten (Sg.) _____

der Süden (Sg.) _____

der Westen (Sg.) _____

im Norden/Osten/Süden/Westen von _____

_____

3 Hoch, höher, am höchsten

1 Das ist aber cool!

1.1 Wie heißen die Hobbys? Schreiben Sie.

1. _____

3. _____

5. _____

2. _____

4. _____

6. _____

1.2 Wiederholung: Hobbys. Markieren Sie die Hobbys in der Wortkette.

SCHWIMMENZWEIWANDERNMANCHMALLAUFENSUPERSEGELNMORGENTELEFONIERENABERSHOPPENKÄSELESENODERAUSGEHENWASATAUCHEN

1.3 Wiederholung: Hobbys. Welche Verben fehlen? Ergänzen Sie.

1. Schlittschuh _____
2. Comics _____
3. Freunde _____
4. Filme _____
5. Volleyball _____
6. Ski _____
7. Tango _____
8. Sport _____
9. ins Theater _____

1.4 Karaoke. Hören Sie und sprechen Sie die -Rolle.

 ...

Volleyball? Das ist nichts für mich.

 ...

Das finde ich gefährlich.

...

Kopf-Tischtennis? So ein Quatsch!

 ...

Oh ja! Das will ich auch einmal ausprobieren!

2 Susi sagt, dass ... Nebensätze mit *dass*

2.1 Was denken die Personen über die Hobbys? Lesen Sie und schreiben Sie *dass*-Sätze.

Chris75	Sport ist sehr anstrengend. Aber Fußballspiele im Stadion sind super.
Maria	Klettern ist sehr gefährlich. Klettern macht aber total viel Spaß.
PeterPan	Angeln ist wirklich langweilig. Man muss sehr lange warten.
Claudi23	Tangotanzen möchte ich ausprobieren. Das ist sehr elegant.
Lars	Früher habe ich oft Gitarre gespielt. Heute habe ich leider keine Zeit mehr.
Eda	Chatten finde ich blöd. Skypen ist viel besser.

			Satzende (Verb)
1. *Chris findet,*	*dass*	*Sport sehr anstrengend*	*ist.*
2. *Er sagt,*	*dass*	*Fußballspiele im Stadion super*	*sind.*
3. *Maria denkt,*	*dass*	*...*	

4.
5.
6.
7.
8.
9.
10.
11.
12.

2.2 Sind die Adjektive positiv, negativ oder beides? Schreiben Sie eine Tabelle in Ihr Heft.

komisch – interessant – cool – gefährlich – langweilig – blöd – verrückt – anstrengend – spannend

☺	☹	☺/☹
		komisch

2.3 Und Sie? Wie finden Sie diese Hobbys? Wählen Sie fünf Hobbys und schreiben Sie zu jedem Hobby einen Kommentar mit den Adjektiven aus 2.2.

Kochen – Angeln – Briefmarkensammeln – Ausgehen – Sport – Tauchen – Wandern – Shoppen – Fahrradfahren

Ich finde, dass Kochen ... ist.

3 Rudi und Susi machen eine Reportage über Hobbys

3.1 Rudi und Susi treffen Tina und Herrn Meyer. Lesen Sie die Interviews und schreiben Sie dann die Berichte für Susi und Rudi.

> *Hallo, Tina! Was ist dein Hobby?*

> *Ich spiele schon seit vier Jahren Gitarre. Gitarrespielen macht viel Spaß. Man kann alleine oder in einer Gruppe spielen. Ich habe einmal pro Woche Unterricht. In der Freizeit spiele ich zusammen mit Freunden. Manchmal geben wir auch Konzerte. Letzte Woche haben wir bei einer Schulfeier gespielt. Vielleicht werden wir später berühmt!*

> *Ich koche sehr gern, am liebsten mit Freunden. Wir haben schon viele Sachen ausprobiert. Wir kochen immer bei einem Freund zu Hause. Das macht Spaß! Meistens kochen wir einmal pro Woche. Zuerst kochen wir und dann essen wir zusammen. Nach dem Essen bleiben wir noch zusammen, reden und trinken ein Glas Wein oder Bier. Das ist gemütlich!*

> *Guten Tag, Herr Meyer! Und was machen Sie gern?*

> *Tina hat erzählt, dass sie seit vier Jahren Gitarre spielt. Sie hat gesagt, dass ...*

> *Herr Meyer hat gesagt, dass er sehr gern ...*

3.2 Fragen über Hobbys. Schreiben Sie Fragen zu den Antworten.

1. 🗩 _____ ?

   👍 Mein Hobby ist Tischtennisspielen.

2. 🗩 _____ ?

   👍 Ich spiele zwei- bis dreimal pro Woche.

3. 🗩 _____ ?

   👍 Ich spiele im Verein und manchmal bei uns im Garten.

4. 🗩 _____ ?

   👍 Ich spiele immer zusammen mit meinem Freund Can.

5. 🗩 _____ ?

   👍 Mir gefällt Tischtennisspielen gut, weil es sehr schnell ist.

6. 🗩 _____ ?

   👍 Es ist nicht so gut, dass ich den Sport nicht alleine machen kann.

4 Welche Hobbys haben Sie?

4.1 Bao und sein Hobby. Lesen Sie den Steckbrief und schreiben Sie einen Text über Bao.

Name:	Bao
Hobby:	Klettern
Wie oft und wo?	dreimal pro Woche im Kletterkurs im Sommer in den Bergen
Mit wem?	mit meiner Freundin
Was gefällt dir gut?	Ich kann draußen in der Natur klettern.
Was ist nicht so gut?	Klettern ist sehr anstrengend. Am nächsten Tag tun oft die Arme weh.

Das ist Bao. Sein Hobby ...

4.2 Und Sie? Schreiben Sie einen kurzen Text über Ihr Hobby in Ihr Heft.

1.16 **4.3** Was macht Barbara wann? Hören Sie und ordnen Sie zu. Zwei Fotos passen nicht.

Montag	Dienstag	Mittwoch	Donnerstag	Freitag	Samstag
_____	_____	_____	_____	_____	_____

4.4 Schreiben Sie Sätze über Barbaras Woche.

Am Montag ...

1.17 **5** **Wer ist am schnellsten? Eine Radio-Reportage. Was ist falsch? Hören Sie und streichen Sie durch.**

1. Beim Becherstapeln muss man *sechs/zwölf* Becher stapeln.
2. Tina trainiert *in den Ferien / zweimal pro Woche* in der Schule.
3. Tinas Team war *oft/heute* am schnellsten.
4. Ralf ist fast *65/70* Jahre alt.
5. Ralf trifft beim Becherstapeln *nette Leute / seine Enkel*.

6 Wien ist am schönsten. Komparativ und Superlativ.

6.1 Komparativ oder Superlativ? Ergänzen Sie die Lücken.

1. 🗨 Unser Urlaub war sehr schön. Zuerst waren wir in München, dann in Salzburg und Wien.

   Ich finde, dass München _____ *(interessant)* als Salzburg ist. Salzburg

   ist aber _____ *(schön)* als München. Wien war _____

   (schön). Und was denkst du?

   👍 Ja, ich finde auch, dass Salzburg _____ *(langweilig)* als Wien ist.

   Ich denke, dass München _____ *(interessant)* ist.

2. 🗨 Mensch Jasmin, du bist aber groß geworden! Wie alt

   bist du denn jetzt? Und deine Brüder, wie alt sind die?

   👍 Ich bin schon 11 Jahre alt und 1,55 m groß. Mein

   Bruder Kian ist zwei Jahre _____ *(alt)* und

   15 cm _____ *(groß)*. Und mein Bruder

   Darian ist 17 Jahre alt und 1,80 m groß. Er ist

   _____ *(alt)* und _____ *(groß)*.

Darian – Jasmin – Kian

3. 🗨 Ich wandere jeden Sommer in den Alpen. Die Berge sind dort sehr hoch. Auf welchen

   Berg soll ich in diesem Sommer klettern? Der Großglockner in Österreich ist _____

   (hoch) als die Zugspitze. Aber auf dem

   Großglockner war ich schon einmal

   vor zwei Jahren. Was meinst du?

   👍 Dann klettere doch auf die Dufour-

   spitze. Die ist in der Schweiz

   _____ *(hoch)*.

Zugspitze (D)
2962 m

Großglockner (A)
3798 m

Dufourspitze (CH)
4634 m

1.18 ⊚ **6.2** Diktat. Hören und ergänzen Sie. Nutzen Sie die Pausentaste (⏸).

> 💬 In meiner Freizeit _____ und spiele gern Computerspiele.
>
> Aber _____. Kannst du auch
>
> Fußball spielen?
>
> 👍 Na ja, _____, aber ich _____
>
> Volleyball spielen und _____ kann ich klettern.
>
> 👍 Ich klettere auch. _____ und oft.
>
> Aber _____ Kochen. Am liebsten koche ich Nudeln.
>
> Die _____.

6.3 *Lieber* oder *besser*? *Am liebsten* oder *am besten*? Was passt nicht? Streichen Sie durch.

1. Tom kann gut tauchen, aber er kann noch *besser/~~lieber~~* segeln.
2. Volleyballspielen gefällt Peter gut, aber Fußballspielen gefällt ihm noch *besser/lieber*.
3. Seline liest sehr gern. Sie liest *besser/lieber* Zeitung als Bücher.
4. Fiona wandert gern, aber *am besten / am liebsten* fährt sie mit dem Fahrrad.
5. Rudi mag sehr gern Süßigkeiten. Er mag Schokolade noch *besser/lieber* als Kuchen.
6. Ahmed spielt sehr gut Fußball und Volleyball, aber *am besten / am liebsten* spielt er Tennis.
7. Tanzen gefällt mir sehr gut. Und *am liebsten / am besten* gefällt mir Tangotanzen.
8. Susi kann sehr gut Schlittschuh laufen. Sie kann *besser/lieber* Schlittschuh laufen als Ski fahren.

6.4 Vergleichen Sie. *Höher als*, *genauso hoch wie* oder *am höchsten*? Schreiben Sie Sätze.

1. Wer springt höher?   3. Wer wandert weiter?   5. Wer schläft länger?

Niklas (110 cm)   Tobias (110 cm)   Klara (90 cm)

Ingrid + Peter (7 km)   Hanna (10 km)   Karen (10 km)   Mia (8 Stunden)   Lia (9 Stunden)   Pia (9 Stunden)

2. Was ist günstiger?   4. Was fährt schneller?

299 €   299 €   799 €

37 km/h   22 km/h   22 km/h

> 1. Tobias springt genauso hoch
>   wie Niklas.
>   Niklas und Tobias springen
>   höher als Klara.
>   Niklas und Tobias …

7 Wer kann …?

7.1 Wiederholung: *können.* Ergänzen Sie.

1. 💬 Mama, **können wir schwimmen gehen** ? *(schwimmen gehen können)*

   👍 Okay, **wir** _____ . *(am Wochenende schwimmen gehen können)*

2. 💬 Gehst du heute auch zum Kletterkurs?

   👍 _____ . *(heute leider nicht klettern können)*

   Mein Rücken tut weh.

3. 💬 Kommt ihr morgen mit ins Kino?

   👍 _____ . *(leider nicht mitkommen können)*

   Wir müssen arbeiten.

7.2 Was können die Kinder (nicht)? Schreiben Sie Sätze.

noch nicht allein Fahrrad fahren – ~~gut tauchen~~ – schon ein bisschen Geige spielen – sehr lange die Luft anhalten

1 Ariane, 8 Jahre
2 Florian, 5 Jahre
3 Yi-Weng, 6 Jahre

1. Ariane kann gut tauchen. Sie …

7.3. Und was können Sie am besten? Schreiben Sie drei Sätze. Benutzen Sie den Superlativ.

gut: auf Deutsch lesen/schreiben/hören –
schön: singen/tanzen/malen –
viel: essen/trinken/schlafen

Ich kann am besten …

8 Poetry-Slam – Mit Wörtern spielen

8.1 Was passt? Ergänzen Sie.

Sieger – schlagen – Wettbewerb – Teilnehmer – hat stattgefunden – kämpft – Gedichte

Bei einem _____ gewinnt immer eine Person. Das ist der _____ .

Alle Personen von einem Wettbewerb sind die _____ . Bei einem Poetry-Slam

hört man viele _____ . Der erste Poetry-Slam _____ in den

USA _____ . Beim Poetry-Slam _____ man mit Wörtern. „Slam"

ist Englisch und heißt so etwas wie _____ .

1.19 ◎ **8.2** Ein Veranstaltungstipp. Hören Sie und schreiben Sie die Antworten.

1. Wo findet der Slam-Wettbewerb statt? _____

2. Wann findet der Slam-Wettbewerb statt? _____

3. Um wie viel Uhr fängt der Wettbewerb an? _____

4. Wie viel kosten die Eintrittskarten? _____

9 Nach dem Poetry Slam. Was ist richtig? Lesen Sie und kreuzen Sie an.

www.kultur-in-altmarkten.de/blog

Poetry Slam in Altmarkten

geschrieben von: Freizeitdichter   Kommentare: 16

Am Samstag hat in der Stadthalle ein Poetry-Slam-Wettbewerb stattgefunden. Alle Karten waren schon seit zwei Wochen weg und die Stadthalle war sehr voll. Die Teilnehmer haben ihre Gedichte präsentiert und das Publikum hat viel gelacht, weil viele
5 Gedichte sehr lustig waren. Aber nicht alle Texte waren gut. Einige Gedichte waren auch furchtbar, zum Beispiel das Gedicht über die Luftgitarre. Manchmal war die Show klasse, aber das Gedicht nicht so gut oder der Text war super, aber die Show schlecht. Lisa Meisner, Slammerin aus Stuttgart, war wieder
10 super. Sie ist in Deutschland sehr bekannt und hat schon viele Wettbewerbe gewonnen. Am Ende war Feras Atah aus Duisburg der Sieger. Das Publikum hat ihn gewählt, weil seine Gedichte und seine Show am besten waren.

	richtig	falsch
1. Am Freitag hat es noch Karten gegeben.	☐	☐
2. Die Laune vom Publikum war gut.	☐	☐
3. Alle Gedichte waren sehr gut.	☐	☐
4. Lisa Meisner hat den Wettbewerb gewonnen.	☐	☐

Und in Ihrer Sprache?

1.20 ◎ **1** Sie sind mit einer Freundin / einem Freund auf einer Party. Sie/Er versteht kein Deutsch. Ihr Freund Marc erzählt von seinem Hobby. Hören Sie und machen Sie Notizen.

Was? – Wann? – Wo? – Mit wem? – ☺ – ☹

2 Berichten Sie Ihrer Freundin / Ihrem Freund in Ihrer Muttersprache.

1 Hobbys beschreiben. Was sagt oder findet Linus? Schreiben Sie vier Sätze.

> *Ich wandere und klettere gern.*

> *Tischtennisspielen macht Spaß.*

> *Briefmarkensammeln ist sehr langweilig.*

> *Ich lese gern Märchen vor.*

Punkte 4

1. *Linus sagt, dass ...* _____
2. *Linus findet, dass ...* _____
3. _____
4. _____

2 Hobbys bewerten. Ergänzen Sie.

Ich spiele manchmal Kopf-Tischtennis.

> *Das will* _____ .

> *Kopf-Tischtennis? – So ein* _____ !

> *Ich finde, dass Kopf-Tischtennis* _____ .

> *Kopf-Tischtennis – das* _____ *für mich.*

Punkte 4

3 Etwas vergleichen. Schreiben Sie jeweils drei Sätze zu 1 bis 4 in Ihr Heft.

1. *groß sein:* Sabine: 1,65 m – Peter: 1,80 m – Adile: 1,65 m – Oliver 1,85 m

2. *gern wandern:* Lina ☺☺☺ – Max ☺ – Hong ☺☺ – Oliver ☺☺

3. *weit springen:* Tina 3,65 m – Pavel 5,80 m – Merle 5,80 m – Roman 6,90 m

4. *viel lesen:* Mahmut 📖 📖 – Sara 📖 📖 📖 – Waltraud 📖 – Rudi 📖 📖

Punkte 12

Punkte gesamt
17–20: Super!
11–16: In Ordnung.
0–10: Bitte noch einmal wiederholen!

Seite 26 – 27

schn**ei**den, er/sie schneidet, er/sie hat geschnitten

springen, er/sie ist gesprungen

vorlesen, er/sie liest vor, er/sie hat vorgelesen

das H**au**stier, -e

das T**i**schtennis (Sg.)

das M**ä**rchen, -

der **E**nkel, -

die **E**nkelin, -nen

die Git**a**rre, -n

ausprobieren

intellig**e**nt

der **O**nkel, -

So ein Quatsch!

der W**e**ttbewerb, -e

d**a**ss

kl**e**ttern

anstrengend

bl**ö**d

sp**a**nnend

nerv**ö**s

der Sp**ie**ler, -

die Sp**ie**lerin, -nen

Seite 28 – 29

dab**ei** sein

Ein Wettbewerb? Wir sind dabei!

d**e**nn

Sport ist gesund, denn Sport macht fit.

st**a**peln

gen**au**so

Er ist genauso groß wie sie.

m**e**rken

n**ä**chst-

vor **a**llem

üben

das F**e**rnsehen (Sg.)

das M**a**l, -e

das nächste Mal

der Erw**a**chsene, -n

die Erw**a**chsene, -n

der Sp**a**ß (Sg.)

die Sek**u**nde, -n

gew**i**nnen, er/sie hat gewonnen

m**a**len

Seite 30 – 31

auswendig

Sie lernt ein Gedicht auswendig.

eigen-

k**ä**mpfen

schl**a**gen, er/sie schlägt, er/sie hat geschlagen

das Ged**i**cht, -e

das P**u**blikum (Sg.)

das W**o**rt, -ö-er

der **I**nhalt, -e

der S**ie**ger, -

die S**ie**gerin, -nen

die H**a**lle, -n

die L**i**ste, -n

die Show, -s

f**u**rchtbar

1 Was kommt heute im Fernsehen?

1.1 Beantworten Sie die Fragen. Benutzen Sie die informelle Uhrzeit.

Das Erste ①	ZDF ᴢᴅꜰ	Rᴛʟ	SAT.1	ProSieben
18:50 Uhr	17:10 Uhr	14:05 Uhr	14:10 Uhr	18:40 Uhr
Lindenstraße (Folge 1548) *Familienserie*	ZDF SPORTreportage *Sportsendung*	Das Supertalent *Castingshow*	Herr der Ringe – Die Gefährten *Fantasyfilm*	Die Simpsons (Lisas Pony) *Animation*
20:15 Uhr	21:45 Uhr	20:15 Uhr	21:15 Uhr	22:30 Uhr
Tatort (Spiel mit Karten) *Krimi*	heute-journal *Nachrichten*	Wer wird Millionär? *Quizshow*	Navy CIS: L.A. (Alina) *Krimiserie*	James Bond 007 – Golden Eye *Actionfilm*

Wann und wo kommt ...
1. die „Lindenstraße"?
2. „Wer wird Millionär?"?
3. „Herr der Ringe"?
4. das „heute-journal"?
5. „007"?

Was kommt heute ...
6. im Ersten um Viertel nach acht?
7. auf ProSieben um zwanzig vor sieben?
8. im Zweiten um zehn nach fünf?

> 1. Die „Lindenstraße" kommt um zehn vor sieben im Ersten.

1.21 ◉ 1.2 Hören Sie die Fragen 1–5 und antworten Sie.

> Die „Lindenstraße" kommt ...

2 Was für ein ...?

2.1 Fernsehsendungen. Was ist das? Schreiben Sie die Wörter mit Artikel.

1.
2.
3.
4.

die Serie

5.
6.
7.
8.

2.2 Was für eine Sendung sehen wir? Ergänzen Sie *was für ein ...*, *was für ...* oder den indefiniten Artikel.

💬 Schau mal, hier um 20:15 Uhr kommt „Faszination Berge".

👍 *Was für eine* _____ Sendung ist das? *Ein* _____ Film oder *eine* _____

Dokumentation?

💬 Das ist _____ Dokumentation über die Alpen. Das ist vielleicht interessant.

👍 Och, nee. Ich würde lieber _____ Film sehen.

💬 Und _____ Film würdest du gern sehen?

👍 Am liebsten würde ich _____ Actionfilm sehen – James Bond zum Beispiel.

💬 Naja, ich mag keine Actionfilme.

👍 Und _____ Sendungen magst du?

💬 Ich sehe gern Serien oder _____ Quiz.

👍 _____ Quiz würdest du gern sehen?

💬 Heute läuft „Wer wird Millionär?", das Quiz mag ich sehr.

👍 Gut, dann sehen wir das. Quiz-Sendungen mag ich auch.

3 Was sehen die Leute gern? Lesen Sie und ergänzen Sie die Namen.

	www.fernsehtipps.de/forum
TV-Fan	Hey Leute, ich liebe Fernsehen! Und ihr, seht ihr auch so viel fern und warum?
TV-Muffel	Ich finde Fernsehen blöd. Dokumentationen, Serien, Quiz-Sendungen – das ist doch langweilig. Ich sehe lieber Videos auf YouTube, die sind interessanter und ich kann auch noch chatten. Aber am Samstagabend sehen meine Freundin und ich auch gern einmal einen Krimi.
Mona F.	Ich gehe lieber mit meinen Freunden ins Kino. Da trifft man auch noch andere Leute. Manchmal sehe ich auch einen Film auf DVD, aber nicht so oft. Ich sehe selten fern, aber ich sehe jeden Samstag die Sportschau, weil ich Fußball klasse finde.
Olli	Ich finde Sport besser als Fernsehen. Aber Quiz-Sendungen sehe ich gern, das sind meine Lieblingssendungen.
Krimi-Fan	Ich sehe am liebsten Krimis. Die gibt es fast täglich. Manchmal sehe ich viele Stunden fern, weil es immer noch einen Krimi gibt. Nur am Samstag sehe ich lieber einen guten Actionfilm oder eine Dokumentation.

1. _____ sieht am liebsten Quiz-Sendungen.

2. _____ sieht samstags manchmal Krimis.

3. _____ sieht manchmal Dokumentationen.

4. _____ sieht gern Sportsendungen.

4 Was sehen wir heute?

4.1 Wiederholung: Adjektive. Wie heißt das Gegenteil? Schreiben Sie.

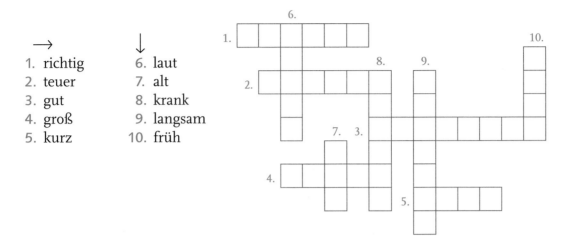

→   ↓

1. richtig   6. laut
2. teuer   7. alt
3. gut   8. krank
4. groß   9. langsam
5. kurz   10. früh

1.22 **4.2** Finden Sie …? Hören Sie und antworten Sie wie im Beispiel mit *Nein, …*

1. Finden Sie Actionfilme spannend? *(nicht spannend)*
2. Finden Sie Basketball im Fernsehen interessant? *(uninteressant)*
3. Finden Sie Justin Bieber sympathisch? *(unsympathisch)*
4. Finden Sie Lady Gaga hübsch? *(nicht hübsch)*
5. Finden Sie Chips gesund? *(ungesund)*
6. Finden Sie Krimis für Kinder gefährlich? *(ungefährlich)*
7. Finden Sie Dokumentationen langweilig? *(nicht langweilig)*

> *Nein, ich finde Action-filme nicht spannend.*

1.22 **4.3** Schließen Sie das Buch. Hören Sie noch einmal und antworten Sie.

4.4 Sehen Sie gern fern? Ergänzen Sie mit Ihren Informationen.

👂 …

👄 Ja, ich sehe sehr gern fern. / Nein, ich sehe nicht so gern fern.

👂 …

👄 Ich sehe gern _____ .

👂 …

👄 Ja, meine Lieblingssendung heißt _____ .

👂 …

👄 _____ gefallen mir auch sehr gut.

👂 …

👄 Ich finde _____ uninteressant.

👂 …

👄 Bei uns gibt es auch _____ im Fernsehen.

1.23 **4.5** Karaoke. Hören Sie und sprechen Sie die 👄-Rolle.

5 Der ESC

5.1 Der Eurovision Song Contest. Welches Verb passt? Ergänzen Sie.

hat gewählt – haben erlebt – hat stattgefunden – hat gewonnen – sind aufgetreten – hat moderiert

1. Der ESC _____ 2015 zum 60. Mal _____ .

2. Sänger aus ganz Europa _____ in der Show mit ihren Liedern _____ .

3. Das Publikum _____ den Sieger _____ .

4. 2010 _____ Lena aus Deutschland den ESC _____ .

5. Stefan Raab _____ mit Anke Engelke und Judith Rakers den ESC 2011 _____ .

6. Die Besucher _____ in Wien eine tolle Show _____ .

5.2 Wie heißen die Verben? Schreiben Sie die Infinitive zu den Perfektformen in 5.1.

1. hat stattgefunden – *stattfinden*

2. sind aufgetreten – _____

3. hat gewählt – _____

4. hat gewonnen – _____

5. hat moderiert – _____

6. haben erlebt – _____

1.24 ◉ 5.3 Lesen Sie den Steckbrief. Hören und ergänzen Sie.

Conchita Wurst bei einem Konzert in Kielce, Polen am 27.6.2015

```
Name:           Conchita Wurst
Kleidung:       lange              , hohe
Aussehen:       braune             , lange braune              , ein dunkler Bart
Hobbys:         _____ , _____ , Interviews geben
ESC gewonnen:   im Jahr _____
```

1.25 ◉ 5.4 Diktat. Hören Sie und ergänzen Sie. Nutzen Sie die Pausentaste (⏸).

Anke Engelke ist eine deutsche Moderatorin, _____ ,

_____ und Komikerin. Sie kommt aus Kanada,

aber sie lebt in Köln. Anke Engelke ist _____ ,

_____ . Von

_____ war sie mit ihrer Sendung „Ladykracher" auf SAT.1 _____

_____ . Seit 2007 _____ die Stimme von Marge Simpson

aus der Serie „Die Simpsons" auf Deutsch. Mit Stefan Raab und Judith Rakers

_____ den ESC _____ . Anke Engelke war zweimal

_____ und hat _____ .

Anke Engelke beim ESC 2013 in Hannover

6 Adjektive nach indefinitem und negativem Artikel

6.1 Viele Fragen. Welche Antwort passt? Ordnen Sie zu.

1. [e] Wie findest du das Fußballspiel?
2. ☐ Siehst du manchmal Nachrichten?
3. ☐ Gehst du gern ins Kino?
4. ☐ *Saber y ganar* – ist das ein Quiz?
5. ☐ Was für eine Sendung ist das?
6. ☐ Was für ein Künstler ist er?
7. ☐ Was für eine Sendung willst du sehen?
8. ☐ Was für Sendungen gefallen deiner Familie?

a Er ist ein deutscher Moderator und Musiker.
b Das ist eine sehr interessante Dokumentation.
c Ja, das ist ein tolles Quiz auf Spanisch.
d Ich würde gern eine lustige Serie sehen.
e Super. Ich sehe gern ein spannendes Spiel.
f Ja, ich sehe deutsche Nachrichten im Fernsehen.
g Meinem kleinen Bruder gefallen Animationsfilme und meiner großen Schwester gefallen Serien.
h Ja, mit meinen deutschen Freunden gehe ich oft ins Kino.

6.2 Unterstreichen Sie alle Adjektive in 6.1 und ergänzen Sie die Tabelle.

	Nominativ	Akkusativ	Dativ
m	ein _____ Moderator	einen guten Sänger	meinem _____ Bruder
n	ein _____ Quiz	ein _____ Spiel	einem spannenden Spiel
f	eine _____ Dokumentation	eine _____ Serie	meiner _____ Schwester
Pl.	– neue Freunde	– _____ Nachrichten	– deutschen Freunden
	meine neuen Freunde	keine deutschen Nachrichten	meinen _____ Freunden

6.3 Was passt? Ergänzen Sie die Adjektive in der richtigen Form.

Nominativ

1. Lena Meyer Landrut ist eine _____ *(gut)* Sängerin.
2. Stefan Raab war ein _____ *(erfolgreich)* Moderator.
3. 2014 hat ein _____ *(deutschsprachig)* Land den ESC gewonnen.
4. Jedes Jahr treten _____ *(international)* Kandidaten beim ESC auf.

Akkusativ

5. Lena hat ein _____ *(toll)* Lied gesungen.
6. Das Publikum hat eine _____ *(wunderbar)* Show erlebt.
7. Die Moderatoren haben einen _____ *(wichtig)* Preis bekommen.
8. Jedes Jahr gibt es _____ *(neu)* Lieder.

Dativ

9. Mit seinen _____ *(verrückt)* Ideen war Stefan Raab sehr erfolgreich.

10. Der ESC sucht jedes Jahr Sänger und Sängerinnen mit einem _____ *(schön)* Lied.

11. Bei ihrer _____ *(erst-)* Show war sie sehr nervös.

12. Schweden hat 2015 mit einem _____ *(jung)* Sänger den ESC gewonnen.

6.4 Lesen Sie die Anzeigen und ergänzen Sie die Adjektivendungen.

a Für unsere Sendung *Das Supertalent* suchen wir junge_ [1] Leute. Können Sie Luftgitarre spielen oder Becherstapeln oder haben Sie ein ander____ [2] verrückt____ [3] Hobby? Schicken Sie uns Ihr cool____ [4] Video mit Ihrer verrückt____ [5] Idee. Vielleicht sind Sie unser neu____ [6] Teilnehmer bei *Das Supertalent.*

b Unsere cool____ [1] Musikgruppe sucht eine neu____ [2] Sängerin. Du hast eine gut____ [3] Stimme und kannst auch Gitarre spielen? Perfekt! Ruf uns an: 0157 …

c Für unsere erfolgreich____ [1] Fernsehserie suchen wir eine jung____ [2] Schauspielerin. Hast du schon in einer deutsch____ [3] Sendung gespielt? Dann komm zu unserem Termin und stell dich vor. Du musst ein kurz____ [4] Gedicht vorsprechen.

d *Germany's next Topmodel* sucht dich: Ein hübsch____ [1], sympathisch____ [2] Mädchen. Interessiert? Dann schick uns ein cool____ [3] Foto mit einem spannend____ [4] Text über dich.

e Wir suchen sympathisch____ [1] und nett____ [2] Jungen und Mädchen (10–18 Jahre) für unsere neu____ [3] Sendung: *Dein Lied im Fernsehen.* Bist du ein gut____ [4] Sänger oder eine toll____ [5] Sängerin? Dann schick uns ein kurz____ [6] Video mit deinem wunderbar____ [7] Lied.

f Unsere neu____ [1] Theatergruppe sucht jung____ [2] Schaupieler. Hast du eine laut____ [3] Stimme? Bist du schon einmal auf einer klein____ [4] oder groß____ [5] Bühne aufgetreten? Dann komm doch zu unserem erst____ [6] Treffen. (info@theatergruppe.de)

6.5 Lesen Sie die Sätze 1 bis 5 und noch einmal die Anzeigen in 6.4. Welche Anzeige passt zu wem? Ordnen Sie zu. Für eine Person gibt es keine Anzeige. Schreiben Sie dort ☒.

1. [b] Corinna singt gern und möchte mit anderen Leuten zusammen Musik machen.
2. [ ] Ivan (15 Jahre alt) singt und schreibt Lieder. Er möchte berühmt werden.
3. [ ] Anna ist Schauspielerin. Sie möchte in einem Film spielen.
4. [ ] Charlie kennt die Texte von mehr als 200 Liedern auswendig. Aber er kann nicht gut singen.
5. [ ] Luisa hat schon in einem Film mitgespielt. Nun sucht sie etwas Neues.
6. [ ] Marc spielt gern Theater und ist auch schon aufgetreten.

7 Eine bekannte Person aus Deutschland

7.1 Lesen Sie den Zeitungsartikel und machen Sie Notizen.

Neue Woche

Prominente aus dem Fernsehen kurz vorgestellt

Judith Rakers

Die Nachrichtenmoderatorin Judith Rakers kennen wir alle. Mit ihrer sympathischen Stimme und ihren langen blonden Haaren moderiert sie seit 2005 die *Tagesschau*. Aber was wissen wir
5 noch über Judith Rakers? Sie hat schon als Studentin bei Zeitungen und beim Radio gearbeitet. Heute ist sie sehr erfolgreich und hat viele Sendungen. Sie moderiert zusammen mit Giovanni di Lorenzo die Talkshow *3 nach 9*.
10 2011 hat sie mit Stefan Raab und Anke Engelke den *ESC* in Düsseldorf moderiert. Für ihre lustige und wunderbare Show haben sie zusammen den *Deutschen Fernsehpreis* gewonnen. Und was weiß man noch über Judith Rakers? Sie ist verheiratet
15 und mag Karaoke. Ihr Mann kocht sehr gern und sie isst gern, das passt gut zusammen. Auch in dieser Woche können Sie Judith Rakers wieder fast jeden Tag in der *Tagesschau* sehen und hören.

• Wer?   • Beruf/Karriere?   • Sendungen?   • Familie?   • Hobbys?

7.2 Schreiben Sie einen Text über Judith Rakers. Benutzen Sie Ihre Notizen aus 7.1.

> Judith Rakers ist eine erfolgreiche Nachrichtenmoderatorin. Sie...

8 Fernsehen heute: Wie, wann und wie oft?

8.1 Wiederholung: Komparativ und Superlativ. Vergleichen Sie die Länder und schreiben Sie Sätze mit den Adjektiven. Benutzen Sie den Komparativ und Superlativ.

Fernsehdauer in D-A-CH pro Tag 2014.

Schweiz:	128 Minuten
Deutschland:	221 Minuten
Österreich:	162 Minuten

In der Schweiz sieht man weniger fern als... _____ (wenig)

In Deutschland... _____ (viel)

In Österreich... _____ (lange)

1.26 ⊚ **8.2** Fernsehen heute. Was sehen Jonas (J), Leonie (L) und Ina (I)? Hören Sie und ordnen Sie zu.

1.26 ⊚ **8.3** Was ist richtig? Hören Sie noch einmal und kreuzen Sie an.

<table>
<tr><td></td><td></td><td>richtig</td><td>falsch</td></tr>
<tr><td>1. ☐</td><td>Jonas sieht oft fern.</td><td>☐</td><td>☐</td></tr>
<tr><td>2. ☐</td><td>Leonie sieht lieber YouTube-Videos.</td><td>☐</td><td>☐</td></tr>
<tr><td>3. ☐</td><td>*Die Lochis* sind Fernsehstars.</td><td>☐</td><td>☐</td></tr>
<tr><td>4. ☐</td><td>Ina findet Nachrichten im Fernsehen besser.</td><td>☐</td><td>☐</td></tr>
</table>

1.26 ⊚ **8.4** Hören Sie noch einmal und schreiben Sie Antworten mit *weil*.

1. Warum sieht Jonas lieber im Internet fern?
2. Warum sieht Leonie lieber Videos auf YouTube?
3. Warum sieht Ina lieber Nachrichten von LeFloid?

nicht so langweilig – praktisch –
für junge Leute

1. Jonas sieht lieber im Internet fern, weil …

8.5 Und Sie? Wo sehen Sie lieber fern: im Internet oder im Fernsehen? Warum? Schreiben Sie einen Text in Ihr Heft.

Und in Ihrer Sprache?

Ihre Freundin / ihr Freund möchte mehr über die Stars im deutschen Fernsehen wissen. Lesen Sie noch einmal Ihre Notizen über Judith Rakers auf S. 44 in 7.1 und berichten Sie in Ihrer Muttersprache.

• *Wer?*   • *Beruf/Karriere?*
• *Sendungen?*   • *Familie?*   • *Hobbys?*

1 Ein Fernsehprogramm verstehen. Schreiben Sie die Antworten in Ihr Heft.

Das Erste ❶	RTL **RTL**	Das Erste ❶	ZDF **ZDF**
Mo, 18:00 Uhr	Do, 20:15 Uhr	20:00 Uhr	Mi, 20:25 Uhr
Quizduell	Wer wird Millionär?	Tagesschau	Champions-League

1. Was kommt am Donnerstag um Viertel nach acht auf RTL?
2. Was kommt im Ersten am Montag um 18:00 Uhr?
3. Wann und wo kommt die „Tagesschau"?
4. Was für eine Sendung ist die „Champions-League"?

1. Am Donnerstag ...

Punkte

4

2 Über das Fernsehen sprechen.

2.1 Was passt? Verbinden Sie.

1. Siehst du oft Serien?
2. Hast du eine Lieblingssendung?
3. Wie findest du das „Quizduell"?
4. Was für Sendungen gibt es in deinem Land?

a Ich finde die Sendung langweilig.
b Nein, nie. Ich mag lieber Filme.
c Bei uns gibt es auch „Wer wird Millionär?", aber das heißt „Who wants to be a millionaire?".
d Meine Lieblingssendung ist der ESC.

2.2 Schreiben Sie Antworten.

1. 💬 Was ist Ihre Lieblingssendung? 👍 _____
2. 💬 Wie finden Sie Actionfilme? 👍 _____
3. 💬 Wie oft sehen Sie Nachrichten? 👍 _____
4. 💬 Was für Sendungen mögen Sie nicht? 👍 _____

Punkte

8

3 Eine Person beschreiben. Lesen Sie die Stichworte und schreiben Sie einen Text.

LeFloid
- *Name: Florian Mundt*
- *deutscher YouTuber, Videoblogger und Student*
- *viele Preise*
- *Juli 2015: Interview mit Angela Merkel*
- *montags und donnerstags: Programm auf YouTube*

Punkte

8

LeFloid heißt richtig ...

Punkte gesamt
17–20: Super!
11–16: In Ordnung.
0–10: Bitte noch einmal wiederholen!

Seite 32–33

der Animationsfilm, -e _____

die Dokumentation, -en (Doku, -s) _____

die Nachrichten (Pl.) _____

    was für ein _____

    Was für einen Film möchtest du sehen? _____

    _____

das Quiz, - _____

die Sendung, -en _____

der Liebesfilm, -e _____

die Serie, -n _____

    hübsch _____

Seite 34–35

    auftreten, er/sie tritt auf, er/sie ist aufgetreten _____

    _____

    begleiten _____

    deutschsprachig _____

    moderieren _____

    plötzlich _____

    vorher _____

das Lied, -er _____

der Erfolg, -e _____

der Kandidat, -en _____

die Kandidatin, -nen _____

der Komiker, - _____

die Komikerin, -nen _____

der Moderator, -en _____

die Moderatorin, -nen _____

der Preis, -e _____

    Sie hat einen Preis bekommen. _____

    _____

der Sänger, - _____

die Sängerin, -nen _____

die Karriere, -n _____

die Stimme, -n _____

    einzeln _____

    live _____

das Paar, -e _____

der Teil, e _____

    der erste/zweite/... Teil _____

Seite 36 – 37

    entscheiden, er/sie hat entschieden _____

    ersetzen _____

    gelten, es gilt, es hat gegolten _____

    halb- _____

    eine halbe Stunde _____

    normal _____

der Internetnutzer, - _____

die Internetnutzerin, -nen _____

der Sender, - _____

die Mediathek, -en _____

die Online-Videothek, -en _____

    angemeldet sein _____

    Ich bin bei einer Online-Videothek angemeldet. _____

Deutsch aktiv 3|4 / Panorama 2

    bauen _____

    tief _____

das Mietshaus, -äu-er _____

der Schrebergarten, -ä- _____

    dekorieren _____

    gießen, er/sie hat gegossen _____

    pflanzen _____

Alltag oder Wahnsinn?

1 Apps im Alltag

1.1 Was kann man mit Apps machen? Ordnen Sie zu und schreiben Sie Sätze.

eine Reise planen – eine Apotheke in der Nähe finden – Fahrpläne lesen – sich über das Wetter informieren – ~~Termine koordinieren~~ – den Alltag organisieren und Zeit sparen

1. **d** *Mit einer App kann man Termine koordinieren.*
2. _____
3. _____
4. _____
5. _____
6. _____

1.2 Die Fahrplan-App. Was passt zusammen? Verbinden Sie.

1. Wann fahren die Busse besonders oft?
2. Ab wann fahren hier die Nachtbusse?
3. Bis wann fährt der Bus Nummer 23?
4. Wie lange gilt der Ferienplan für die Busse?

a Zwei Wochen.
b Täglich bis 22:30 Uhr.
c Zwischen 9:00 und 18:00 Uhr.
d Ab 23:00 Uhr.

1.3 *Ab*, *bis* oder *zwischen*? Ergänzen Sie.

1. 💬 Ich gehe mittwochs _____ 19:30 und 21:30 Uhr mit einer Freundin joggen.

   👍 Was? So spät?

   💬 Ja, manchmal muss ich _____ 20 Uhr arbeiten.

   Dann können wir erst _____ 21 Uhr laufen.

2. 💬 _____ wann musst du die Termine wissen?

   👍 Ich brauche die Termine _____ Montagabend. Am Dienstag muss ich entscheiden.

1.4 Schreiben Sie die Fragen.

1. 💬 _____

   👍 Ich habe am Sonntag bis 9 Uhr geschlafen.

2. 💬 _____

   👍 Ich bin ab Dienstag im Urlaub.

3. 💬 _____

   👍 Ich bin morgen zwischen 16 und 19 Uhr zu Hause.

1.5 *Ab, bis* oder *zwischen?* Schreiben Sie die Antworten.

1. Wann machen Sie Mittagspause? (13:00 Uhr ⊢⊢ 13:30 Uhr)
2. Ab wann fährt der Bus? (6:00 Uhr ⊢➞)
3. Bis wann arbeiten Sie heute? (➞⊣ 17:00 Uhr)
4. Ab wann haben Sie Urlaub? (Montag ⊢➞)
5. Wann trainieren Sie im Fitnessstudio? (20:00 Uhr ⊢⊢ 23:00 Uhr)
6. Bis wann brauchen Sie die Informationen? (➞⊣ morgen)

> *Ich mache zwischen eins und halb zwei Mittagspause.*

1.27 ◉ **1.6** Hören Sie die Fragen und antworten Sie mit Ihren Sätzen aus 1.5.

2 Stress am Morgen

2.1 Mutter und Sohn. Was passiert? Schreiben Sie Sätze zu den Bildern.

1. *Sabine Müller wäscht sich,*
   dann wäscht sie ihren Sohn.

2. _____
   _____

3. _____
   _____

4. _____
   _____

2.2 Morgens im Bad. Ergänzen Sie die Reflexivpronomen.

▽ Wann kämmt ihr _____ endlich? Es ist schon acht Uhr.

△ Ich habe _____ doch schon gekämmt.

▽ Wann? Gestern? Sieh _____ doch mal im Spiegel an!

△ Oh Mann!!! Warum müssen wir _____ immer kämmen?

▽ Man kämmt _____ jeden Morgen. Das ist normal!

△ Aber Florian und Anne kämmen _____ auch nicht.

▽ Schluss jetzt! Beeilt _____ !

1.28 **2.3** Was macht Simone zuerst, was danach? Hören Sie und ordnen Sie.

a ☐ sich anziehen   e ☐1 aufstehen

b ☐ aus dem Haus gehen   f ☐ Zeitung lesen und frühstücken

c ☐ die U-Bahn nehmen   g ☐ sich kämmen und schminken

d ☐ Tee trinken   h ☐ sich waschen

2.4 Was macht Simone wann? Schreiben Sie Sätze.

1. *Simone steht um sechs Uhr auf.*   5. _____

2. _____   6. _____

3. _____   7. _____

4. _____   8. _____

2.5 Was hat Simone heute gemacht? Schreiben Sie die Sätze aus 2.4 im Perfekt.

1. Simone ist heute um sechs Uhr aufgestanden.

3 So fängt der Tag cool an.

1.29 **3.1** Hast du schon …? Hören Sie und antworten Sie mit *Nein* wie im Beispiel.

1. Hast du dich schon angezogen?   4. Hast du dich schon gewaschen?
2. Hast du dich schon rasiert?   5. Hast du dich schon geschminkt?
3. Hast du dich schon gekämmt?   6. Und bist du schon aufgestanden?

Nein, ich habe mich noch nicht angezogen.

1.29 **3.2** Schließen Sie das Buch. Hören Sie noch einmal und antworten Sie.

1.30 **3.3** Ein ruhiger Morgen. Hören Sie. Welches Thema passt? Kreuzen Sie an.

1. ☐ Ein Tag ohne Arbeit   2. ☐ Ein Morgen ohne die Familie   3. ☐ Allein im Urlaub

1.30 **3.4** Was sagt die Freundin? Lesen Sie die Fragen. Hören Sie noch einmal und ordnen Sie die Fragen.

a ☐ Frühstückst du normalerweise nie?   c ☐ Danke auch gut. Wie war dein Tag?

b ☐ Warst du ganz allein?   d ☐ Hallo, hier spricht Isabell. Wie geht es dir?

1.30 **3.5** Karaoke. Hören Sie noch einmal und sprechen Sie die Fragen aus 3.4.

3.6 Und wie sieht ein ruhiger Morgen für Sie aus? Schreiben Sie Sätze in Ihr Heft.

4 Ein ganz normaler Tag

4.1 Welches Verb passt? Ergänzen Sie.

aufhängen – bringen – haben – machen – kochen – kommen – vorlesen – waschen

1. es eilig _____ und dann zu spät _____

2. Kakao _____ und Brote für die Schule _____

3. die Kinder ins Bett _____ und ihnen ein Märchen _____

4. Wäsche _____ und sie dann _____

4.2 Welcher Betreff passt? Lesen Sie und kreuzen Sie an.

Von: sascha.gruber@mail.de

An: m.frosch@web.de

Betreff: a ☐ Immer Streit mit Julia   b ☐ Ein neuer Job

Lieber Manfred,

danke für deine E-Mail! Ja, es geht mir gut. Ich arbeite jetzt in der „Nachtschicht" – das ist die neue Bar am Michaelsplatz. Die „Nachtschicht" ist ziemlich cool. Aber die Arbeit ist anstrengend. Mein Tag hat jetzt einen anderen Rhythmus. Ich arbeite bis fünf Uhr morgens! Dann fahre
5 ich nach Hause und gehe um sechs Uhr schlafen. Ich schlafe den ganzen Vormittag bis halb eins und um 13 Uhr frühstücke ich. Dann räume ich ein bisschen auf, wasche die Wäsche und hänge sie auf. Am Nachmittag helfe ich Paul bei seinen Hausaufgaben. Um halb acht essen wir alle zusammen. Um Viertel nach acht gehe ich aus dem Haus, weil ich ab 21 Uhr arbeite. Das ist schon komisch. Ich glaube, ich kann das nicht lange machen. Ich bin selten zu Hause und sehe
10 Julia fast nie. Deshalb streiten wir uns manchmal.

Kommst du mal in die „Nachtschicht"? Ich bin immer von Mittwoch bis Sonntag da.

Viele Grüße
Sascha

4.3 Lesen Sie noch einmal und beantworten Sie die Fragen.

1. Wie findet Sascha seine Arbeit? _____

   _____

2. Von wann bis wann arbeitet Sascha? _____

   _____

3. Was macht Sascha vor der Arbeit? _____

   _____

4. Von wann bis wann schläft Sascha? _____

   _____

5. Warum streiten sich Sascha und Julia manchmal? _____

   _____

5 Ist dein Alltag auch stressig?

5.1 Welches Verb passt? Hören Sie und kreuzen Sie an.

1. a ☐ sich entschuldigen   3. a ☐ sich schlecht fühlen   5. a ☐ sich treffen
   b ☐ sich freuen   b ☐ sich treffen   b ☐ sich freuen
   c ☐ sich streiten   c ☐ sich entschuldigen   c ☐ sich ärgern
2. a ☐ sich beeilen   4. a ☐ sich streiten   6. a ☐ sich beeilen
   b ☐ sich ärgern   b ☐ sich gut fühlen   b ☐ sich entschuldigen
   c ☐ sich treffen   c ☐ sich beeilen   c ☐ sich treffen

5.2 Was passt zusammen? Verbinden Sie.

1. Müsst ihr   a uns morgen?
2. Wie fühlt sich   b dich bei mir?
3. Wo treffen wir   c euch immer streiten?
4. Wann entschuldigst du   d sich bitte ein bisschen beeilen?
5. Könnten Sie   e dein Vater heute?

5.3 Welches Verb passt? Ergänzen Sie die Fragen.

1. Warum _____ du _____?
2. Warum _____ ihr _____ immer?
3. Warum _____ du _____?
4. Warum müssen wir _____ _____?
5. Warum _____ du _____ schlecht?

sich beeilen – sich fühlen – sich ärgern – sich freuen – sich streiten

5.4 Schreiben Sie Antworten zu den Fragen in 5.3.

1. Ich *freue mich, weil wir uns morgen treffen.*
   (wir – morgen – sich treffen)
2. Wir _____
   (wir beide – gern diskutieren)
3. Ich _____
   (wir – immer – sich streiten)
4. Wir _____
   (die U-Bahn – in zehn Minuten – kommen)
5. Ich _____
   (ich – viel Stress haben)

5.5 Karaoke. Hören Sie und sprechen Sie die ◁-Rolle.

👂 ...
👄 Wir haben uns heute Morgen gestritten. Ich war wirklich sauer!
👂 ...
👄 Ja, wir haben den Wecker nicht gehört und sind zu spät aufgestanden. Echt blöd!
👂 ...
👄 Ja, das ärgert mich auch sehr. So viel Stress – da fühle ich mich schlecht.

6 Familienalltag

6.1 Lesen Sie den Text schnell. Welche Überschrift passt nicht? Streichen Sie durch.

1. Den Tag ohne Stress beginnen
2. Wellness zu Hause
3. Tipps für weniger Stress am Morgen

Familienleben heute 4/16

Morgens ist es bei vielen Familien mit Kindern oft gar nicht lustig. Die Kinder stehen nicht gern auf. Sie wollen sich nicht anziehen oder nicht frühstücken. Oder das Bad ist nicht frei – und am Ende müssen sich alle beeilen. Das ist Stress für alle und vielleicht streitet man sich auch.

Aber das muss nicht sein. Mit unseren Tipps beginnt der Tag ruhiger – und alle haben bessere Laune!

1. Wählen Sie zusammen mit Ihrem Kind schon am Abend die Kleidung für den nächsten Tag aus. So müssen Sie morgens nicht diskutieren. Und abends ist es nicht so hektisch, weil alle mehr Zeit haben.

2. Bereiten Sie schon abends den Frühstückstisch vor. Mit einem guten Frühstück beginnt der Tag freundlicher. Die ganze Familie sitzt zusammen am Tisch – da schmecken das Brot und der Kakao noch besser.

Sie können auch die Brote für die Schule oder den Kindergarten schon abends vorbereiten.

3. Haben Sie einen guten Wecker? Die meisten Menschen stehen lieber mit Musik auf. Aber sehr laute Musik macht nervös! Wählen Sie lieber ein ruhiges Lied.

4. Machen Sie einen Plan für das Badezimmer: Wer muss morgens zuerst aus dem Haus gehen? Die Person darf auch zuerst ins Bad.

5. Machen Sie morgens etwas Schönes zusammen. Vielleicht singen Sie mit Ihren Kindern ein Lied nach dem Frühstück? Oder Sie machen ein kleines Spiel? Dann freuen sich alle auf den nächsten Morgen – und die Kinder stehen vielleicht auch ein bisschen lieber (und früher) auf.

6.2 Was ist richtig? Lesen Sie noch einmal und kreuzen Sie an.

1. Morgens ist es stressig, weil ...
   a ☐ sich alle beeilen müssen.
   b ☐ die Kinder sich immer streiten.

2. Die Kleidung für die Kinder soll man ...
   a ☐ am Abend auswählen.
   b ☐ am Morgen diskutieren.

3. Die Kinder sollen ...
   a ☐ in der Schule frühstücken.
   b ☐ zusammen mit den Eltern frühstücken.

4. Die meisten Menschen können am besten mit einem ...
   a ☐ lauten Lied aufstehen.
   b ☐ ruhigen Lied aufstehen.

5. Die Eltern sollen morgens ...
   a ☐ früher aufstehen.
   b ☐ ein bisschen mit den Kindern singen oder spielen.

7 Raus aus dem Alltag mit Wellness

7.1 Was passt nicht? Streichen Sie durch.

1. das Hotel – das Hallenbad – die Jugendherberge – das Hostel
2. der Spiegel – die Massage – die Sauna – das Dampfbad
3. das Panorama – der Blick – die Wäsche – die Aussicht

1.33 **7.2** Diktat. Hören und ergänzen Sie. Nutzen Sie die Pausentaste (❚❚).

Mein Alltag ist _____. Deshalb ist Wellness

_____. In der Nähe

mit einem großen Wellnessbereich, ein Hallenbad und einem Fitnessraum. Dort

_____, _____ und ich kann _____.

Ich liebe die Sauna und _____, vor allem _____.

Ich gehe _____ ins Wellnesshotel.

7.3 Dreimal Spa. Was für Texte sind das? Lesen Sie und ordnen Sie zu. Eine Antwort passt nicht.

○○○

www.freizeittipps-in-dresden.de

a

Niki_SpaFan

Ein wunderbarer Tag! Ich war am letzten Sonntag im Schloss-Spa – und es war toll. Ich habe mich super erholt und entspannt. Das war wie ein kurzer Urlaub. Die Sauna und die Ruheräume sind sehr schön. Und die Massage war perfekt. Ich komme auf jeden Fall wieder.

b

SPA-WELT IM SCHLOSS

In Bad Neuheim, in der Nähe von Dresden, gibt es ein neues Spa. Seit September 2015 lädt das Schloss-Spa zum Erholen ein – mit zwei Saunen, Dampfbad, Whirlpool und wunderschönen Ruheräumen.

Neues Spa im Schloss

Die Managerin, Evelyn Schneider, erzählt, dass ihr Team mehr als sechs Monate die neuen Räume gebaut und dekoriert hat.

Das Spa ist bei den Kunden schon jetzt sehr beliebt. Zum Beispiel muss man eine Massage unbedingt vorher buchen. Ohne Termin haben Sie keine Chance.

c

Stressiger Alltag?
Erholen Sie sich im neuen
Schloss-Spa in Bad Neuheim!

Finnische Sauna · Bio-Sauna · Hallenbad · Whirlpool

Nutzen Sie unser Winter-Sonderangebot*:
90 Minuten Massage für nur 69 Euro

Einzelzimmer ab 79 Euro
Doppelzimmer ab 119 Euro

Informationen unter www.schloss-spa.de

* Gültig vom 01.11. bis zum 20.02.

1. ☐ Eine Zeitung stellt das neue Spa vor.
2. ☐ Eine Frau schreibt ihrer Freundin eine E-Mail aus dem Spa.
3. ☐ Das Spa stellt sein Angebot vor. Es sucht neue Kunden.
4. ☐ Eine Kundin schreibt im Internet, dass ihr das Spa gefällt.

7.4 Lesen Sie noch einmal die Texte in 7.3. Was passt zusammen? Verbinden Sie.

1. Das Schloss-Spa gibt es   a sechs Monate am Spa gebaut.
2. Das Team hat   b wie ein Kurzurlaub.
3. Für eine Massage muss man   c seit September 2015 in Bad Neuheim.
4. Bis Februar gibt es   d ein Sonderangebot für Massagen.
5. Ein Tag im Schloss-Spa ist   e einen Termin machen.

7.5 Aus welchem Text in 7.3 kommen die Informationen in 7.4? Schreiben Sie.

Text a: _____   Text b: *1. c* _____   Text c: _____

7.6 Kundenbewertungen. Was passt nicht? Streichen Sie durch.

www.checkdeinhotel.at

1 Marina F. ★★★★★   *Tolle/~~Keine~~* Erholung! Super Wellnessbereich!

Wir waren am letzten Wochenende hier. Es war *furchtbar/wunderschön*. Die Zimmer sind groß und *hell/dunkel*. Der Wellnessbereich ist ein *Traum/Stress*. Wir kommen *bestimmt/nicht* wieder. Danke für eine *schlimme/wunderbare* Zeit.

2 Robert J. ★   *Nie/~~Immer~~* wieder!

Erholung? Nein, hier leider nicht! Die Mitarbeiter an der Rezeption waren sehr *unfreundlich/sympathisch*. Die Zimmer waren klein und das Bad war *sehr/nicht* sauber. Im Ruheraum haben wir *nie/immer* einen freien Platz gefunden. Und alles war sehr *teuer/günstig*: Wir haben uns sehr *gefreut/geärgert*.

7.7 Schreiben Sie eine positive oder negative Bewertung zu dem Spa-Angebot in 7.3.

1.34 ◉ **7.8** Ein Interview. Hören Sie und kreuzen Sie an.

Sie sprechen über
1. ☐ Wellnessreisen in verschiedene Länder.
2. ☐ ein neues Wellnesshotel „Neue Welten".

1.34 ◉ **7.9** *Ja* oder *nein*? Hören Sie noch einmal und kreuzen Sie an.

	ja	nein
1. Die Radio-Sendung heißt „Modernes Leben".	☐	☐
2. Simon Walter verkauft Wellnessreisen.	☐	☐
3. Er hat dieses Jahr weniger Kunden als letztes Jahr.	☐	☐
4. Er hat nur Reisen nach Deutschland im Angebot.	☐	☐
5. Viele Kunden wollen im Urlaub gesund essen und Sport machen.	☐	☐
6. Simon Walter macht am liebsten Yoga-Reisen.	☐	☐

Und in Ihrer Sprache?

Ihre Freundin/Ihr Freund möchte im Winter einen Wellnessurlaub machen. Lesen Sie noch einmal das Angebot für das Schloss-Spa in 7.3 (Text c) und erklären Sie das Angebot in Ihrer Muttersprache.

1 Über Medien im Alltag sprechen. Wie helfen Apps im Alltag? Schreiben Sie.

1. *Mit einer App kann man ...*

2.

3.

4.

5.

2 Den Alltag beschreiben. Was machen Sie wann? Schreiben Sie Sätze mit *ab*, *bis* und *zwischen*.

1. aufstehen (6:30 Uhr ⊢ ⊢ 7:00 Uhr)

2. sich waschen (6:45 Uhr ⊢ ⊢ 7:05 Uhr)

3. sich anziehen (⟶⊣ 7:15 Uhr)

4. frühstücken (7:15 Uhr ⊢⟶)

5. sich beeilen (6:30 Uhr ⊢⟶)

3 Sagen, dass man etwas nicht gut findet. Wie reagieren Sie in diesen Situationen? Schreiben Sie Sätze.

1. Sie haben zu Hause viel Stress und müssen sich immer beeilen.

2. Ihre Kollegin / Ihr Kollege kommt immer zu spät zu den Terminen und Sie müssen warten.

4 Etwas positiv bewerten. Schreiben Sie die Sätze positiv.

1. Wir hatten eine furchtbare Zeit hier.
2. Wir haben uns nicht erholt.
3. Das Hotel ist nicht schön und es ist zu teuer.
4. Der Fitnessbereich ist furchtbar.
5. Die Ruheräume haben uns nicht gefallen und der Service war schlecht.
6. Wir kommen bestimmt nicht wieder.

1. Wir hatten ...

Punkte gesamt
17–20: Super!
11–16: In Ordnung.
0–10: Bitte noch einmal wiederholen!

Seite 42–43

ab

auswählen

gem**ei**nsam

in der N**ä**he

(sich) inform**ie**ren

öffentlich

pl**a**nen

sp**a**ren

unterw**e**gs (sein)

der **A**lltag (Sg.)

der **Ei**nkauf, -äu-e

der **Fa**hrplan, -ä-e

der **S**upermarkt, -ä-e

die Apoth**e**ke, -n

die App, -s

die Organisat**io**n, -en

koordin**ie**ren

n**ie**

verschl**a**fen, er/sie verschläft, er/sie hat verschlafen

(sich) **a**nsehen, er/sie sieht an, er/sie hat angesehen

(sich) **a**nziehen, er/sie hat angezogen

(sich) **aus**ziehen, er/sie hat ausgezogen

(sich) k**ä**mmen

(sich) ras**ie**ren

(sich) schm**i**nken

(sich) w**a**schen, er/sie wäscht, er/sie hat gewaschen

der Sp**ie**gel, -

Seite 44–45

die W**ä**sche (Sg.)

aufhängen

sich str**ei**ten, er/sie hat gestritten

fr**o**h

p**ü**nktlich

s**au**er

Ich bin sauer!

der Str**e**ss (Sg.)

ger**a**de

h**e**ktisch

(sich) entsch**u**ldigen

(sich) tr**e**ffen, er/sie trifft, er/sie hat getroffen

der H**au**shalt, -e

der K**i**ndergarten, -ä-

die Sch**u**ld (Sg.)

Das ist (nicht) meine Schuld.

(sich) **ä**rgern

sich be**ei**len

sich fr**eu**en

(sich) f**ü**hlen

Seite 46–47

das H**a**llenbad, -ä-er

das H**o**stel, -s

der Bl**i**ck, -e

der M**i**tarbeiter, -

die M**i**tarbeiterin, -nen

der R**u**heraum, -äu-e

die S**au**na, Saunen

die Jugendherberge, -n

die Erh**o**lung (Sg.)

entsp**a**nnt

wiederkommen, er/sie ist wiedergekommen

(sich) erh**o**len

6 Die schwarzen oder die bunten Stühle?

1 Die Wohnungen von John, Marie und Anne

1.1 Was ist richtig? Lesen Sie und kreuzen Sie an. Korrigieren Sie dann die falschen Antworten.

Ich bin neu hier in Darmstadt und wohne in einem Studentenwohnheim. Ich habe ein schönes, helles Zimmer mit einem kleinen Bad. Auf meinem Flur gibt es noch sieben andere Zimmer. Wir sind acht Studenten und haben zusammen eine große Küche. Dort treffen wir uns
5 oft und kochen auch manchmal zusammen.

In meinem Zimmer sind nicht sehr viele Möbel: Es gibt ein praktisches Bett, einen großen Schrank und eine moderne Lampe. An der Wand hängt ein langes Regal und vor dem Fenster steht ein kleiner Schreibtisch mit zwei unbequemen Stühlen. Ich möchte bald ein paar Dinge
10 kaufen: einen gemütlichen Teppich, einen bequemen Schreibtischstuhl, eine helle Schreibtischlampe und ein kleines Sofa.

John Waters

	richtig	falsch
1. John wohnt mit anderen Studenten in einer WG.	☐	☐
2. Sie machen manchmal etwas zusammen.	☐	☐
3. John hat viele Möbel.	☐	☐
4. Er hat keinen Stuhl.	☐	☐
5. Er braucht einen Teppich und ein Sofa.	☐	☐

1.2 Wiederholung: Adjektive nach indefinitem Artikel. Unterstreichen Sie die Adjektive in 1.1 und ergänzen Sie die Tabelle.

	Nominativ (N)	Akkusativ (A)	Dativ (D)
m	ein _____ Schreibtisch	einen _____ Schrank	einem großen Tisch
n	ein _____ Regal	ein _____ Sofa	einem _____ Bad
f	eine helle Lampe	eine _____ Lampe	einer hellen Lampe
Pl.	unbequeme Stühle	unbequeme Stühle	_____ Stühlen

1.3 Wiederholung: Adjektive nach indefinitem Artikel. Ergänzen Sie die Adjektivendungen.

Marie ist Studentin und wohnt seit drei Monaten in Hamburg. Aber sie hat noch kein Zimmer gefunden. Deshalb wohnt sie bei ihrer gut____ (D) Freundin Anne. Anne hat eine gemütlich____ (A) Wohnung mit einem klein____ (D) Zimmer, einem klein____ (D) Bad und einer groß____ (D) Küche mit einem schön____ (D) Balkon. Das Schlafzimmer ist klein, deshalb hat Anne nur ein groß____ (A) Bett, einen alt____ (A) Schrank und ein klein____ (A) Regal. Leider ist das Zimmer zu klein für einen groß____ (A) Schreibtisch. Deshalb steht ihr neu____ (N) Laptop in der Küche auf dem alt____ (D) Küchentisch. Annes bequem____ (N) Sofa ist kaputt, deshalb sitzen Marie und Anne oft auf den alt____ (D) Stühlen auf dem Balkon. Marie wohnt gern bei Anne, aber sie will bald ein eigen____ (A) Zimmer oder eine eigen____ (A) Wohnung finden.

1.4 Wie sind der Artikel und der Plural? Ergänzen Sie.

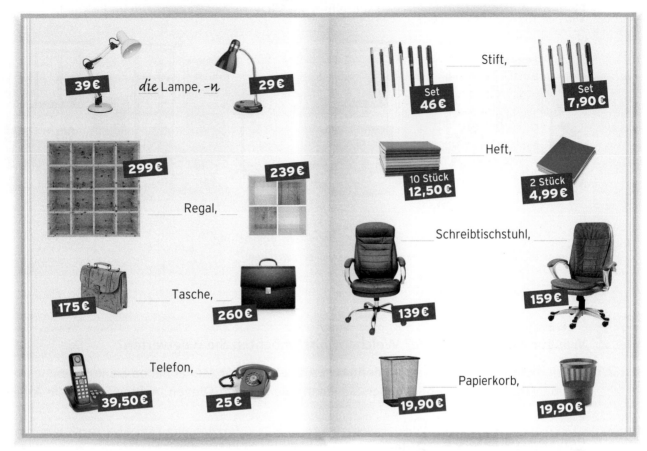

_____ Stift, ___

Set 46 €   Set 7,90 €

39 €   _die_ Lampe, _-n_   29 €

_____ Heft, _____

10 Stück 12,50 €   2 Stück 4,99 €

299 €   239 €

_____ Regal, _____

_____ Schreibtischstuhl, _____

159 €

175 €   _____ Tasche, _____   260 €   139 €

_____ Telefon, _____   _____ Papierkorb, _____

39,50 €   25 €   19,90 €   19,90 €

1.5 Wie viel kostet …? Adjektivendungen nach dem definiten Artikel im Nominativ. Ergänzen Sie die Endungen und schreiben Sie die Antwort.

Wie viel kostet/kosten …

1. der schwarze Schreibtischstuhl?
2. das altmodisch_____ Telefon?
3. die weiß_____ Schreibtischlampe?
4. die blau_____ Hefte?
5. der rot_____ Papierkorb?

6. das klein_____ Bücherregal?
7. die gelb_____ Tasche?
8. die bunt_____ Stifte?

1. Der schwarze Schreibtischstuhl kostet 139 Euro.

1.35 ◉ **1.6** Hören Sie die Fragen und antworten Sie mit Ihren Sätzen aus 1.5.

1.7 Wie finden Sie die Dinge in 1.5? Schreiben Sie acht Sätze. Benutzen Sie die Adjektive nach dem definiten Artikel im Akkusativ.

schön – hässlich – modern –
günstig – teuer – elegant –
altmodisch – praktisch

1. Ich finde den schwarzen Schreibtischstuhl elegant.

1.36 ◉ **1.8** Hören Sie die Fragen und antworten Sie mit Ihren Sätzen aus 1.7.

1.9 Adjektivendungen nach dem definiten Artikel im Nominativ und Dativ.
Finden Sie acht Unterschiede und schreiben Sie Sätze zu den Bildern wie im Beispiel.

> *Auf Bild 1 hängt der kleine Spiegel zwischen dem großen und dem kleinen Fenster, aber auf Bild 2 steht er zwischen ...*

2 Was für Möbel haben Sie? Welche Möbel möchten Sie wegwerfen?

2.1 Wiederholung: Adjektive nach indefinitem Artikel. Was für Möbel haben Sie in Ihrem Zimmer / Ihrer Wohnung? Schreiben Sie einen Satz mit acht Dingen. Achten Sie auf die Artikel.

der Fernseher das **Bett** die **Gardine** der Teppich das **Regal**
der Stuhl die **Spüle** der Schreibtisch der **Tisch**
die **Lampe** der **Kühlschrank** **Herd** das Sofa
der Spiegel das **Bild** die Pflanze **der Schrank**

> *Ich habe einen kleinen Tisch, ...*

2.2 Welche Möbel möchten Sie (nicht) wegwerfen? Schreiben Sie Sätze zu vier Dingen aus 2.1.

> *Der kleine Tisch ist schön. Ich möchte den kleinen Tisch nicht wegwerfen.*

3 Im Möbelgeschäft

3.1 Was passt zusammen? Verbinden Sie.

1. Guten Tag, kann ich Ihnen helfen?	a Der ist gerade im Angebot. Nur 199 Euro.
2. Können Sie das Sofa liefern?	b Na ja, ich finde es okay.
3. Wie gefällt dir das weiße Sofa?	c Oh, das ist günstig.
4. Was kostet der Schrank?	d Ja, aber das dauert drei bis vier Tage.
5. Der Tisch und die Stühle kosten zusammen nur 125 Euro.	e Ja, gern. Ich suche einen Schreibtisch.

1.37 ⊚ **3.2** Karaoke. Hören Sie und sprechen Sie die 👄-Rolle.

👂 ...

👄 Ja, bitte. Ich suche ein gemütliches Sofa.

👂 ...

👄 Ja, ganz gut. Aber haben Sie auch Sofas in Schwarz?

👂 ...

👄 Aha, ja. Das gefällt mir. Das Grau ist sehr elegant. Was kostet das Sofa?

👂 ...

👄 Hm, das ist ein bisschen teuer, aber es ist auch sehr schön.
Können Sie das Sofa auch liefern?

👂 ...

👄 Oh, 100 Euro! Dann hole ich das Sofa lieber selbst ab.

4 Adjektive, Adjektive …

4.1 Signalendungen. Was fehlt? Ergänzen Sie die Buchstaben.

r̶ – s – e – n – e – n – e – s – m – s – e – r – r̶ – n – m – s – e – r – m – e – m –
s – e – e – r̶ – e – e – m – n – s – n – e – n – r – m – e

Nominativ			
der blaue Anzug	da__ grüne Kleid	di__ rote Bluse	di__ gelben Schuhe
ein blauer Anzug	ein grüne__ Kleid	ein__ rote Bluse	gelb__ Schuhe
kein blauer Anzug	kein grüne__ Kleid	kein__ rote Bluse	kein__ gelben Schuhe

Akkusativ			
de__ blauen Anzug	da__ grüne Kleid	di__ rote Bluse	di__ gelben Schuhe
eine__ blauen Anzug	ein grüne__ Kleid	ein__ rote Bluse	gelb__ Schuhe
keine__ blauen Anzug	kein grüne__ Kleid	kein__ rote Bluse	kein__ gelben Schuhe

Dativ			
de__ blauen Anzug	de__ grünen Kleid	de__ roten Bluse	de__ gelben Schuhen
eine__ blauen Anzug	eine__ grünen Kleid	eine__ roten Bluse	gelbe__ Schuhen
keine__ blauen Anzug	keine__ grünen Kleid	keine__ roten Bluse	keine__ gelben Schuhen

1.38 ⊚ **4.2** Hören Sie und antworten Sie mit Nominativ wie im Beispiel.

> Wo ist der blaue Anzug?

> Der blaue Anzug? Das weiß ich nicht. Hier ist kein blauer Anzug.

1.39 ⊚ **4.3** Hören Sie und antworten Sie mit Akkusativ wie im Beispiel.

> Siehst du den blauen Anzug?

> Den blauen Anzug? Nein, ich sehe keinen blauen Anzug.

5 Lampen im Internet

5.1 Welche Wörter passen? Ergänzen Sie.

billig – Glas – groß – hoch – ~~Holz~~ – Keramik – klein – leicht – Metall – rot – grün –
schwer – Stoff – teuer – blau – günstig

1. die Größe: _____ , _____

2. die Höhe: _____

3. das Gewicht: _____ , _____

4. der Preis: _____ , _____ , _____

5. die Farbe: _____ , _____ , _____

6. das Material: *Holz* _____ , _____ , _____ , _____ , _____

5.2 Aus welchen Materialien sind die Dinge? Schreiben Sie Sätze zu den Fotos.

1. Die Schuhe sind aus Holz.

1.40 **5.3** Diktat. Hören und schreiben Sie. Nutzen Sie die Pausentaste (⏸).

1.41 **5.4** Eine Nachricht auf dem Anrufbeantworter. Hören Sie und notieren Sie die Informationen.

	Preis:	Gewicht:	Farbe:	Design:
Laptop 1:				*interessant*
Laptop 2:		*1,1 kg*		

5.5 Wiederholung: Vergleiche. Vergleichen Sie die Laptops aus 5.4.
Schreiben Sie drei Sätze.

Laptop 1 ist teurer als ...

5.6 Was passt? Ordnen Sie die Sätze zu und ergänzen Sie die Informationen für Ihre Person.

Aha, was kostet der jetzt? – Das ist die 235809 DX. – Oh, das ist günstig. Wann kommt der Laptop? – Nein, am Ende 09, nicht 90. Also 235809 DX. – Danke schön. Auf Wiederhören. – Guten Tag, mein Name ist ..., ich möchte einen Laptop bestellen. – Mein Familienname ist ..., mein Vorname ist .... Ich wohne in ...

Expert-Müller, mein Name ist Jansen, was kann ich für Sie tun?

_____

Gerne, sagen Sie mir bitte die Bestellnummer.

_____

235890 DX?

_____

Ach so, gut, also der 235809 DX, das ist der kleine, rote Laptop. Der ist jetzt im Angebot.

_____

649 Euro.

_____

In ungefähr sechs Tagen. Sagen Sie mir bitte Ihren Namen und Ihre Adresse.

_____
_____

Danke, ich habe die Bestellung notiert.

_____

Auf Wiederhören.

5.7 Karaoke. Hören Sie und sprechen Sie die 👄-Rolle.

5.8 Ergänzen Sie den Bestellschein mit den Informationen aus 5.6.

Expert-Müller Elektroartikel	**BESTELLSCHEIN**	Datum: **04.02.2016** Kundennummer: **XT-296512** Bestellnummer: **2016/176**

Artikel-Nr.	Artikel	Farbe	Menge	Preis/Stk.
				€

6 Eine Reklamation

6.1 Gründe für eine Reklamation. Was passt zusammen? Verbinden Sie.

1. Die Farbe ist
2. Ein Artikel
3. Der Artikel ist
4. Ich habe

a falsch bestellt.
b kaputt.
c fehlt.
d falsch.

6.2 Was passt zu welchem Bild? Schreiben Sie die Sätze aus 6.1 zu den Bildern.

Artikel	Farbe	Menge
Tasche	gelb	2

1. _____

Artikel	Menge
Spiegel	1

3. _____

Artikel	Farbe	Menge
Lampe	grün	1

2. _____

Artikel	Menge
Stuhl (Metall)	1

4. _____

6.3 Was reklamieren Herr Diemer und Frau Schuhmann? Lesen Sie und schreiben Sie in Ihr Heft.

Reklamationsgeschichten

Haben Sie schon einmal etwas reklamiert? Hatten Sie Probleme? Schreiben Sie uns.

Ich reklamiere nicht gern. Das macht immer Probleme. Aber im letzten Herbst war ich bei Freunden in Ulm und wir haben die Stadt besichtigt. Leider hat es sehr viel geregnet. Deshalb habe ich Regenschuhe 5 gekauft. Aber schon nach einer Stunde waren meine Füße nass. Die Schuhe waren kaputt. Ich bin sofort zum Geschäft zurückgegangen und habe die Schuhe reklamiert. Aber jetzt war eine andere Verkäuferin dort und sie hat mir nicht geglaubt, dass ich die 10 Schuhe vor einer Stunde gekauft habe. Die Schuhe waren auch nicht mehr sauber. Leider hatte ich die Rechnung nicht mehr. Deshalb habe ich keine neuen Schuhe bekommen. Ich habe mich sehr geärgert!
Paul Diemer, Minden

15 Ich habe letzte Woche Kleidung im Internet bestellt. Drei blaue T-Shirts, einen roten Pullover und eine schwarze Hose. Ja, und dann habe ich das Paket geöffnet und alles war falsch! Die T-Shirts waren rot und gelb, der Pullover war schwarz und 20 die Hose blau. Und dann war noch ein grüner Rock im Paket. Ich habe sofort angerufen und die Sachen reklamiert. Es war ein Fehler von der Firma. Eine Frau Schumann – ohne h – hat meine Sachen bekommen und ich habe ihre Sachen bekommen. Ich 25 habe dann alles wieder zurückgeschickt und nach zwei Tagen hatte ich die richtigen Sachen. Als Entschuldigung hat mir die Firma drei Paar Socken geschickt. Das war nett.
Svea Schuhmann, Köln

6.4 Was ist richtig? Lesen Sie noch einmal und kreuzen Sie an.

	richtig	falsch
1. Paul Diemer war beruflich in Ulm.	☐	☐
2. Das Wetter war schlecht.	☐	☐
3. Er hatte keine Probleme mit der Reklamation.	☐	☐
4. Svea Schuhmann hat T-Shirts, einen Pullover und einen Rock bestellt.	☐	☐
5. Im Paket waren T-Shirts, aber sie hatten die falsche Farbe.	☐	☐
6. Die Firma hat ihre Bestellung an die falsche Adresse geschickt.	☐	☐

7 Upcycling – ein neuer Möbel-Trend

7.1 Lesen Sie und kreuzen Sie an.

Liebe Freunde,
jetzt bin ich schon eine Woche bei meinen Freunden in Berlin. Sie kennen die Stadt sehr gut, sie wohnen ja schon lange hier. Berlin ist wirklich toll. Ich bin nur ein paar Tage hier, aber ich habe schon viel
gesehen. Ich war im Museum, in der Universität, in der Oper und abends in einem Club.
5 Leider haben meine Freunde nicht so viel Zeit, weil sie keinen Urlaub haben. Sie müssen morgens
schon früh aufstehen und kommen erst abends wieder zurück. Deshalb mache ich viel allein. Ich
besichtige die Stadt oder gehe spazieren.
Am Samstag sind wir zusammen losgegangen und sie haben mir etwas ganz Besonderes gezeigt. Wir
waren shoppen. Ja, ich gehe nicht so gern shoppen, aber gestern war das spannend.
10 Wir waren in einem interessanten Geschäft. Dort bauen junge Designer Möbel aus Trolleys. Ihr kennt
doch diese Trolleys: Im Flugzeug gibt es dort Getränke. Aber das waren jetzt keine Trolleys mehr,
das waren Bücherregale oder ein Schrank für das Badezimmer. Super interessant! Man nennt das
Upcycling.
Upcycling finde ich toll, ich habe so etwas noch nie gesehen. Es ist doch schade, dass man so viele
15 Sachen wegwirft, weil man sie nicht mehr braucht. Es gibt viel zu viel Müll, das ist nicht gut für die Umwelt.
Man muss nur gute Ideen haben: Dort waren zum Beispiel auch Lampen aus Weinflaschen und Bier-
flaschen mit einem tollen Design oder alte Stühle aus einem Kino. Die waren echt super. Ich würde gern
eine Lampe kaufen, aber das Problem ist, dass ich im Flugzeug nicht so viel Gewicht mitnehmen kann.
So viel aus Berlin. Wie geht es euch? Schreibt mir mal!
20 Liebe Grüße
Mike

1. Mike
   a ☐ will in Berlin studieren.
   b ☐ besucht Freunde in Berlin.
   c ☐ wohnt schon lange in Berlin.

2. Seine Freunde
   a ☐ schlafen morgens lange.
   b ☐ müssen arbeiten.
   c ☐ wollen in Urlaub fahren.

3. Am Samstag
   a ☐ haben die Freunde gearbeitet.
   b ☐ hat Mike alleine eingekauft.
   c ☐ sind alle shoppen gegangen.

4. In dem Geschäft
   a ☐ gibt es interessante Möbel.
   b ☐ kann man Getränke kaufen.
   c ☐ kann man Möbel selbst machen.

5. Die Upcycling-Möbel
   a ☐ gefallen Mike nicht.
   b ☐ machen viel Müll.
   c ☐ sind gut für die Umwelt.

6. Mike
   a ☐ hat eine Lampe gekauft.
   b ☐ kann leider keine Lampe kaufen.
   c ☐ findet die Lampen nicht so schön.

7.2 Schreiben Sie eine Antwort an Mike. Schreiben Sie: Wo sind Sie? Kennen Sie Upcycling? Finden
Sie es wichtig, dass Möbel gut für die Umwelt sind? Würden Sie gern mit Mike shoppen gehen?

1.43 ◉ **Und in Ihrer Sprache?**

Ihre Freundin / Ihr Freund hat eine Nachricht auf dem Anrufbeantworter. Hören Sie die
Nachricht. Was soll sie/er tun? Machen Sie Notizen und geben Sie ihr/ihm die wichtigsten
Informationen in Ihrer Muttersprache.

Was? – Termin? – Telefon?

1 Über Möbel sprechen. Wie finden Sie die Möbel? Schreiben Sie Sätze.

1.

2.

3.

Punkte 6

2 Einkaufsdialoge führen. Was passt? Kreuzen Sie an.

1. Wie gefällt Ihnen das blaue Sofa?
   a ☐ Das ist nicht schlecht.
   b ☐ Ich suche ein blaues Sofa.

2. Haben Sie auch Stühle aus Metall?
   a ☐ Die Stühle aus Holz sind im Angebot.
   b ☐ Nein, leider nicht. Es tut mir leid.

3. Kann ich Ihnen helfen?
   a ☐ Ja, das kostet nur 299 Euro.
   b ☐ Ja, gern, ich suche eine Lampe.

4. Wie lange dauert die Lieferung?
   a ☐ Die Lieferung kostet 50 Euro.
   b ☐ Ungefähr eine Woche.

Punkte 4

1.44 ◉

3 Etwas telefonisch bestellen. Hören und ergänzen Sie.

Mode-Shop		**BESTELLSCHEIN**			Datum: **15.03.2016**
Artikel-Nr.	Artikel	Farbe	Menge	Preis/Stk.	
LM25909					€

Punkte 4

4 Etwas telefonisch reklamieren. Was sagen Sie am Telefon? Schreiben Sie Sätze. Die Wörter helfen.

bei Ihnen – kaufen – kaputt sein / falsche Farbe haben – reklamieren – der Spiegel / die Tasche

Artikel	Menge
Spiegel	1

Guten Tag, mein Name ist ...
Ich habe ein Problem.
Ich habe ...

Artikel	Farbe
Tasche	grün

Punkte 6

Punkte gesamt
17–20: Super!
11–16: In Ordnung.
  0–10: Bitte noch einmal wiederholen!

Seite 48–49

altmodisch

wegwerfen, er/sie wirft weg, er/sie hat weggeworfen

der Teppich, -e

gucken

die Möbel (Pl.)

behalten, er/sie behält, er/sie hat behalten

im Angebot (sein)

Seite 50–51

aus (+Material)

Der Tisch ist aus Glas.

weich

das Gewicht (Sg.)

das Material, -ien

das Glas (Sg.)

das Metall, -e

der Stoff, -e

die Größe, -n

die Höhe, -n

die Keramik (Sg.)

gesamt

der Artikel, -

der Auftrag, -ä-e

der Lieferschein, -e

der Liefertermin, -e

die Bestellung, -en

die Menge, -n

reklamieren

zurückschicken

das Formular, -e

ausfüllen

der Reklamationsschein, -e

abschicken

das Paket, -e

der Absender, -

ergänzen

liefern

der Grund, -ü-e

die Beschreibung, -en

Seite 52–53

der Trolley, -s

kaputtgehen, er/sie ist kaputtgegangen

kreativ

stabil

umweltbewusst

das Holz (Sg.)

das Plastik (Sg.)

der Flugbegleiter, -

die Flugbegleiterin, -nen

Deutsch aktiv 5|6/Panorama 3

sich **wohl**fühlen

der Apparat, -e

Guten Tag, Müller am Apparat.

historisch

das Einkaufszentrum, -zentren

das Parlament, -e

der Franken, -

der Politiker, -

die Politikerin, -nen

die Münze, -n

das Gebäude, -

der Brunnen, -

Wohin kommt das Sofa?

1 Wo liegt … ?

1.1 Was ist richtig? Kreuzen Sie an. Korrigieren Sie dann die falschen Sätze.

	richtig	falsch
1. Maxglan liegt nördlich von der Altstadt.	☐	☐
2. Das Schloss Mirabell liegt im Zentrum östlich vom Fluss.	☐	☐
3. Der Zoo liegt westlich vom Zentrum.	☐	☐
4. Die Ferienregion Salzkammergut liegt südlich von Salzburg.	☐	☐

1.2 *Im Norden* oder *nördlich*? Was passt nicht? Streichen Sie die falsche Antwort durch.

1. Der Bahnhof liegt *nördlich / im Norden* von der Altstadt.
2. Das Leopoldskroner Moos liegt *südlich / im Süden* von Salzburg.
3. Das Stadion liegt *westlich / im Westen* von Salzburg.
4. Aigen liegt *östlich / im Osten* vom Leopoldskroner Moos.

1.3 Wo liegt …? Schreiben Sie Antworten.

1. das Messezentrum? (*Salzburg*) *Das Messezentrum liegt im Norden von Salzburg.*

2. die Altstadt? (*Salzburg*) _____

3. der Dom? (*Altstadt*) _____

4. der Flughafen? (*Maxglan*) _____

2 Eine Wohnung suchen

2.1 Wohnungssuche. Was passt? Ergänzen Sie den Dialog.

Altbauwohnung – bequem – günstiger – in der Nähe von – auf dem Land – Mieten – ~~ruhig~~ – verkehrsgünstig – zentral

💬 Ich suche eine Wohnung. Sie soll *ruhig* liegen: Die Stadt ist zu laut für mich.

👍 Wirklich? Ich möchte lieber _____ wohnen, in einer schönen

_____ im Zentrum.

💬 Hmm, aber so eine Wohnung ist teuer: Die _____ sind sehr hoch. Außerhalb

sind die Wohnungen _____, dann hat man mehr Geld für andere Dinge.

👍 Ja, aber _____ braucht man ein Auto. Das ist auch teuer.

💬 Man kann auch außerhalb eine Wohnung finden, die _____ liegt. Meine

Tante wohnt in Elsbethen, das ist _____ Salzburg. Dort gibt es die

S-Bahn und den Bus: Man ist in 20 Minuten im Zentrum. Das ist sehr _____.

2.2 Welche Wohnung passt zu wem? Finden Sie die Wohnungen auf der Karte in 1.1 und ordnen Sie zu.

A Salzburg-Maxglan, 2-Zimmer-Wohnung, 590 €

B Salzburg-Neustadt, 1-Zimmer-Altbau-wohnung, 830 €

C Salzburg-Leopoldskron, 2-Zimmer-Wohnung (Altbau), 1150 €

D Salzburg-Aigen, 2-Zimmer-Wohnung in Bauernhaus, ruhige Lage, 726 €

Alex aus Kanada

Ich suche eine Wohnung im Zentrum: Da ist immer viel los. Ich mag am liebsten alte Wohnungen.

Li aus China

Ich suche eine moderne Wohnung. Sie muss verkehrs-günstig liegen, aber nicht im Zentrum. Das ist zu stressig.

Pavel aus Polen

Ich suche eine günstige, ruhige Wohnung. Am liebsten etwas außerhalb. Ich gehe gern am Fluss spazieren.

2.3 Und Sie? Wo und wie wohnen Sie? Wohnen Sie gern dort? Warum (nicht)? Schreiben Sie einen kurzen Text.

Meine Wohnung liegt im ...

3 Wohnungsanzeigen

3.1 Was ist das? Ergänzen Sie.

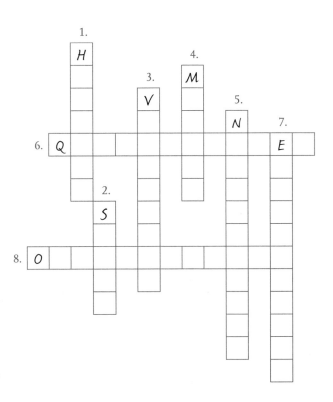

3.2 Ein Telefongespräch mit der Vermieterin. Hören Sie und ergänzen Sie die Informationen.

1.45

	Wohnung 1		Wohnung 2	
Größe:	_____ m²,	_____ Zimmer	_____ m²,	_____ Zimmer
Miete:	_____ €		_____ € (warm)	
Nebenkosten:	_____ €		_____ €	
Termin:	heute, _____ Uhr		morgen, _____ Uhr	
Adresse:	Beethovenstraße _____		Heilbrunner Allee _____	

1.46

4 Wohnungssuche. Karaoke. Hören Sie und sprechen Sie die 👄-Rolle.

👂 ...

👄 Grüß Gott. Mein Name ist ... Ich interessiere mich für die Wohnung in Salzburg-Süd. Ist sie noch frei?

👂 ...

👄 Aha. Und wie hoch sind die Nebenkosten?

👂 ...

👄 90 Euro, das geht noch. Kann ich die Wohnung besichtigen?

👂 ...

👄 Ja, 20 Uhr ist in Ordnung. Wie ist die Adresse?

👂 ...

👄 Gut, danke. Bis morgen dann. Auf Wiederhören.

👂 ...

5 Rudi und Tanja ziehen um.

5.1 Wiederholung: Lokale Präpositionen. Was passt? Ergänzen Sie.

---

an – auf – ~~hinter~~ – in – neben – über – unter – vor – zwischen

---

Der Schlüssel ist ... dem Blumentopf.

1. _hinter_   2. _____   3. _____   4. _____   5. _____

6. _____   7. _____   8. _____   9. _____   _den Blumentöpfen_

5.2 Wiederholung: *Wo?* + Dativ. Wo stehen/liegen/hängen die Dinge? Schreiben Sie Sätze.

1. die Fahrräder *(die Kiste und der Sessel)*
2. das Spielzeug *(die Kiste)*
3. die Kiste *(das Fenster)*
4. der Tisch *(die Kiste)*
5. die Kaffeemaschine *(der Tisch)*
6. die Stühle *(der Tisch)*
7. das Bild *(das Sofa, die Wand)*
8. der Computer *(der Sessel)*
9. die Bücher *(das Sofa)*
10. der Fernseher *(das Sofa)*

> *1. Die Fahrräder stehen zwischen der Kiste und ...*

5.3 Und Ihr Zimmer / Ihre Wohnung? Wie sieht Ihr Zimmer / Ihre Wohnung aus? Schreiben Sie einen kurzen Text.

> *Ich wohne in einer kleinen Wohnung. Die Wohnung ...*

6 Wechselpräpositionen mit Akkusativ: Wohin?

6.1 Was passt? Ergänzen Sie.

> in den (3 x) – in die – ins (3 x) – an die – auf den – auf das (2 x) – über das – zwischen die

🗪 Die Bücher kommen *ins* Arbeitszimmer. Und die kleine Lampe?

👍 Ja, die kleine Lampe kommt auch _____ Arbeitszimmer, _____ Schreibtisch.

🗪 Und das Spielzeug?

👍 Das kommt _____ Kinderzimmer _____ Bett.

🗪 _____ Bett?

👍 Ja, ich kann es dann später aufräumen.

🗪 Alles klar. Und die Kaffeemaschine kommt _____ Küche, ja?

👍 Ja, _____ Schrank.

🗪 Und die Fahrräder? Soll ich sie _____ Garten bringen?

👍 Nein, nein. Die Fahrräder kommen natürlich _____ Keller.

🗪 Das Bild kommt _____ Schlafzimmer, richtig?

👍 Ja, _____ Bett.

🗪 Hm, ich habe gedacht, es kommt _____ zwei Fenster _____ Wand.

👍 Okay, wie du willst.

1.47 ◉ **6.2** Wohin kommen die Dinge? Hören Sie und antworten Sie wie im Beispiel.

1. So, die Fahrräder sind im Garten. *(der Keller)*
2. So, der Computer steht auf dem Küchentisch. *(der Schreibtisch)*
3. So, die Lampe steht neben der Kaffeemaschine. *(die Pflanze)*
4. So, das Sofa steht zwischen den Regalen. *(die Fenster, Plural)*
5. So, die Kiste mit den Büchern steht jetzt im Schlafzimmer. *(das Arbeitszimmer)*

> *Im Garten? Aber die Fahrräder kommen in den Keller!*

6.3 Wo stehen oder liegen die Dinge? Wohin kommen sie? Schreiben Sie Sätze.

> *1. Der Computer …*

7 Und die Katze? Wohin ist die Katze gelaufen?

7.1 Welcher Betreff passt? Lesen Sie die E-Mail und kreuzen Sie an.

Von:	tanjaschubert@web.de
An:	birgitwieser@gmx.net
Betreff:	a ☐ Endlich umgezogen b ☐ Immer Ärger mit Mitzi

Liebe Birgit,

heute sind wir umgezogen. Die alte Wohnung war zu klein für uns, weil Laura jetzt größer ist und ein eigenes Zimmer braucht. Wir haben viele Anzeigen gelesen und endlich eine nette Altbauwohnung gefunden: im dritten Obergeschoss mit Blick auf den Park.

5 Gestern haben wir alles in Kisten gepackt – die Kleider, die Bücher und das viele Spielzeug. Heute Morgen haben wir zuerst gefrühstückt und dann haben wir lange gewartet. Das Möbelauto ist zu spät gekommen. Um halb neun war das Auto immer noch nicht da, also haben wir gewartet ... und gewartet.

Um elf Uhr ist das Möbelauto endlich gekommen. Herr Meier und Herr Dogan haben alles 10 schnell in den Wagen gebracht. Mitzi ist in ihrer Katzenbox auch im Möbelauto mitgefahren, weil unser kleines Auto mit dem Gepäck und den Kindern schon zu voll war.

Am neuen Haus waren unsere Sachen schon auf der Straße vor dem Haus. Dann hat Rudi den neuen Schlüssel gesucht. Nach zehn Minuten hat er ihn endlich gefunden. Er war in der Kiste mit den Büchern. Rudi hat das vergessen. Ich war echt sauer.

15 Herr Dogan und Herr Meier haben dann die Möbel nach oben in die Wohnung gebracht. Plötzlich habe ich gesehen, dass Mitzi nicht mehr in der Katzenbox war. Oh je! Ist unsere liebe Katze weggelaufen? Zum Glück nicht. Das intelligente Tier hat selbst den Weg in die Wohnung gefunden. Sie hat zuerst ihre eigene „Besichtigung" in allen Zimmern gemacht und dann ist sie auf unser Bett gesprungen und dort eingeschlafen. Ende gut, alles gut!

20 Und wie geht es dir? Schreib doch mal!

Liebe Grüße
deine Tanja

7.2 Was ist richtig? Sie lesen noch einmal und kreuzen Sie an.

1. Tanja und ihre Familie sind umgezogen, weil ...
a ☐ die alte Wohnung zu wenige Zimmer hatte.
b ☐ Lauras altes Zimmer zu klein war.
c ☐ sie neben dem Park wohnen wollen.

2. Sie haben am Morgen lange gewartet, weil ...
a ☐ die neue Wohnung noch nicht fertig war.
b ☐ Rudi noch gefrühstückt hat.
c ☐ das Möbelauto zu spät gekommen ist.

3. Mit dem Möbelauto sind ...
a ☐ Rudi, Tanja und Herr Meier gefahren.
b ☐ Herr Meier, Herr Dogan und Mitzi gefahren.
c ☐ die Kinder und das Gepäck gefahren.

4. Tanja hat sich geärgert, weil ...
a ☐ die Möbel und Kisten auf der Straße waren.
b ☐ Rudi die Kiste mit den Büchern ausgepackt hat.
c ☐ Rudi den Schlüssel nicht sofort gefunden hat.

5. Die Katze ...
a ☐ hat in der Katzenbox geschlafen.
b ☐ ist im Möbelauto geblieben.
c ☐ ist durch die Wohnung gelaufen.

8 Eine Wohnung einrichten

1.48 **8.1** Möbel kaufen. Hören Sie und zeichnen Sie die Möbel in den Plan ein.

das blaue Sofa – der schwarze Sessel – der große Schrank – der kleine Schrank – die große Lampe

8.2 Wohin kommen die Möbel? Schreiben Sie Sätze zu den Möbeln in 8.1.

1. *Das blaue Sofa kommt ins Wohnzimmer unter das Fenster.*

2. _____

3. _____

4. _____

5. _____

9 Das schwarze Brett in unserem Haus

9.1 Was passt? Ergänzen Sie.

Haustier – verschenke – vorbeikommen – Einweihungsparty – besorgen – Bauarbeiten

1. Einladung: Wir sind umgezogen und machen eine _____ .

2. Grillfest: Bringen Sie bitte Fleisch mit, wir _____ Brot und Getränke.

3. Das Restaurant ist morgen geschlossen, weil _____ stattfinden: Es bekommt eine neue Küche.

4. Hunde und Katzen sind im Haus verboten, aber ein kleines, ruhiges _____ wie ein Meerschweinchen ist in Ordnung.

5. Sofa kostenlos! Ich _____ ein modernes, fast neues Sofa.

6. Sie dürfen Ihr Fahrrad nicht in den Flur stellen: Man kann nicht _____ .

9.2 Zwei Anzeigen am schwarzen Brett. Was passt zusammen? Orden Sie die Teile und schreiben Sie die Anzeigen in Ihr Heft.

1.49 **9.3** Diktat. Hören und ergänzen Sie. Benutzen Sie die Pausentaste (⏸).

3-Zimmer-Wohnung in Berlin-Kreuzberg – _____ !

_____ nach Brasilien. Möchten Sie _____

_____ in Berlin wohnen? Die Wohnung ist _____ und hat drei Zimmer.

Ich will keine Miete bekommen, aber Sie müssen _____ :

_____ , _____ und _____ . Ich habe auch _____ ,

einen Hund, „Rollo". _____ . Sie müssen mit ihm dreimal am Tag

spazieren gehen. Was noch? Bitte _____

und räumen Sie manchmal auf. Das ist alles. Sind Sie interessiert?

Dann _____ : _____ .

Und in Ihrer Sprache?

Ihre Chefin / Ihr Chef sucht eine Wohnung in München. Sie/Er versteht wenig Deutsch. Erklären Sie ihr/ihm die Anzeigen in Ihrer Muttersprache.

1.
4-Zimmer-Wohnung (DG) in München-Bogenhausen: 135m², zentral, U-Bahn in der Nähe, Blick über den Englischen Garten, 1.250 € + NK, www.immobayern.de

2.
3-Zimmer-Wohnung in München-Grünwald: EG mit Garten, 117m², sehr ruhig, 20 Minuten mit dem Auto ins Zentrum, 1.395 € warm, Tel. 089/2828446

1 Über die Lage von Orten sprechen. Wo liegt das? Verbinden Sie.

1. Das Museum liegt
2. Das Schloss liegt
3. Der Flughafen liegt
4. Der Bahnhof liegt
5. Das Schwimmbad liegt
6. Die Information liegt

a außerhalb von Neustadt.
b im Norden von Neustadt.
c im Süden von Neustadt.
d östlich von Neustadt.
e in der Nähe vom Museum.
f im Zentrum.

Punkte
6

2 Über die Wohnsituation sprechen. Schreiben Sie vier Sätze mit den Wörtern.

nördlich vom Zentrum – Miete: günstig – ruhig – in der Nähe vom Bahnhof

1. Die Wohnung …

Punkte
4

3 Einen Besichtigungstermin vereinbaren. Schreiben Sie Fragen zu den Antworten.

1. 💬 _____
2. 💬 _____
3. 💬 _____

4. 💬 _____
5. 💬 _____

👍 Ja, die Wohnung im Ostend ist noch frei.
👍 Die Miete ist sehr günstig: 580 Euro.
👍 30 Euro für Wasser und Strom und 35 Euro für die Heizung.
👍 Heute Abend um 19:30 Uhr.
👍 In der Leopoldstraße 92, im Erdgeschoss.

Punkte
5

4 Erklären, wohin etwas kommt. Lesen Sie die Notizen und beantworten Sie die Fragen.

1. Wohin kommt der Fernseher?
2. Wohin kommt der Sessel?
3. Wohin kommen die Bücher?
4. Wohin kommt das Spielzeug?
5. Wohin kommt der Spiegel?
6. Wohin kommen die Fahrräder?

1. Der Fernseher kommt ins Wohnzimmer auf den Tisch.

Fernseher → Wohnzimmer: auf Tisch
Sessel → Wohnzimmer: zw. Tür + Fenster
Bücher → Arbeitszimmer: unter Schreibtisch
Spielzeug → Kinderzimmer: auf Regal
Spiegel → Bad: an Wand
Fahrräder → Keller: neben Schrank

Punkte
5

Punkte gesamt
17–20: Super!
11–16: In Ordnung.
0–10: Bitte noch einmal wiederholen!

Seite 58–59

der Dom, -e _____

das Stadion, -s _____

der Zoo, -s _____

    außerhalb _____

    Meine Wohnung liegt außerhalb. _____

    _____

    los sein _____

    Auf dem Land ist nicht viel los. _____

    _____

    verkehrsgünstig _____

der Fluglärm (Sg.) _____

    stören _____

    Der Fluglärm stört mich. _____

    _____

die Altbauwohnung, -en _____

die Miete, -n _____

    Wie hoch ist die Miete? _____

    _____

das Dachgeschoss (DG), -e _____

das Obergeschoss (OG), -e _____

der Mieter, - _____

die Mieterin, -nen _____

der Strom (Sg.) _____

der Vermieter, - _____

die Vermieterin, -nen _____

die Einbauküche (EBK), -n _____

die Nebenkosten (NK) (Pl.) _____

die Betriebskosten (Pl.) _____

    in Ordnung (sein) _____

    monatlich _____

    Ich bezahle monatlich 60 Euro Nebenkosten. _____

    _____

(sich) interessieren _____

    Ich interessiere mich für die Wohnung. _____

    _____

Seite 60–61

die Katzenbox, -en _____

die Kiste, -n _____

das Spielzeug (Sg.) _____

der Sessel, - _____

der Keller, - _____

Seite 62–63

    Achtung! _____

    besorgen _____

    bitten, er/sie hat gebeten _____

    stellen _____

    verschenken _____

    vorbeikommen, er/sie kommt vorbei, _____

    er/sie ist vorbeigekommen _____

    weglaufen, er/sie läuft weg, er/sie ist weggelaufen _____

    _____

das Meerschweinchen, - _____

die Bauarbeiten (Pl.) _____

das Verständnis (Sg.) _____

    Ich bitte um Ihr Verständnis. _____

    _____

das Würstchen, - _____

der Finderlohn, -ö-e _____

der Hof, -ö-e _____

der Kinderwagen, - _____

der Mitbewohner, - _____

die Mitbewohnerin, -nen _____

    fremd _____

    schließen, er/sie hat geschlossen _____

    wegfliegen, er/sie ist weggeflogen _____

1 Wie war das früher?

1.1 Die Schulzeit. Was passt? Ergänzen Sie.

böse – ~~erinnere~~ – Hof – Klasse –
hat ... geliehen – streng –
haben ... unterhalten – Unterricht

1. Ich **erinnere** mich gut an

   meine Schulzeit. Das war so:

2. Der _____ hat immer

   um acht Uhr begonnen.

3. In meiner _____ waren 35 Kinder.

4. Die Schule _____ den Kindern die Bücher _____.

5. Meine Lehrer waren sehr _____.

6. Wir _____ uns nur ganz leise _____.

7. _____ Kinder mussten sich in die Ecke stellen.

8. Die Pausen waren am besten, da haben wir im _____ gespielt.

1.50 🎧 **1.2** Zwei Erinnerungen. Welche Geschichte passt zu wem? Hören Sie und ordnen Sie zu.

Ich war sehr gern in der Schule. Nur eine Lehrerin habe ich nicht gemocht.

Thomas, 54 ☐

Ich bin zuerst nicht so gern zur Schule gegangen. Aber Lesen- lernen war toll!

Ben, 34 ☐

1.50 🎧 **1.3** Thomas oder Ben oder beide? Hören Sie noch einmal und kreuzen Sie an.

	Thomas	Ben
1. Mit unseren Mützen konnten uns die Autofahrer besser sehen.	☐	☐
2. Mein Schulweg war ziemlich lang.	☐	☐
3. Ich bin zu Fuß zur Schule gegangen. Das war immer sehr lustig.	☐	☐
4. Am Anfang wollte ich nicht zur Schule gehen.	☐	☐
5. Unsere Klasse war sehr groß.	☐	☐
6. Die anderen Schüler mussten mir oft etwas leihen.	☐	☐
7. Meine erste Lehrerin war sehr gut.	☐	☐
8. Schreiben und Lesen hat Spaß gemacht.	☐	☐
9. Der Musikunterricht hat mir nicht gefallen.	☐	☐

2 Modalverben im Präteritum: Ich musste damals zu Fuß gehen.

2.1 Wiederholung: Modalverben im Präsens.
Müssen, können oder *dürfen?* Ergänzen Sie.

🗨 Ich **muss** noch die neuen Wörter lernen.

_____ ihr mir helfen?

👍 Du hast sie noch nicht gelernt? Warum denn nicht?

🗨 Ich war gestern im Kino.

👍 Was? Du _____ in der Woche ins Kino

gehen? Ich _____ das nicht. Meine Eltern

sind sehr streng.

👍 Ja, zu streng! Du bist doch schon 15.

Du _____ mit deinen Eltern sprechen.

👍 Ja, aber das ist nicht so einfach.

🗨 Wir helfen dir. Wir kommen morgen zu dir. Dann sagen wir, dass wir mit dir ins Kino

gehen wollen und sie _____ nicht einfach „Nein" sagen.

👍 Okay, wir _____ es probieren.

2.2 Modalverben im Präteritum. Ergänzen Sie die Tabelle.

	wollen	müssen	können	dürfen	sollen
ich	wollte		konnte		sollte
du				durftest	
er/es/sie		musste			
wir					sollten
ihr	wolltet				
sie/Sie			konnten		

2.3 *Wir mussten* oder *Wir durften?* Ergänzen Sie den Satzanfang.

1. _____ schon nach zwei Wochen allein zur Schule gehen. Das war toll.

2. _____ immer ganz leise sein.

3. _____ im Musikunterricht immer laut „Guten Morgen" singen. Blöd, oder?

4. _____ im Musikunterricht tanzen. Das war toll. Ich liebe Tanzen!

5. _____ morgens immer zuerst aufstehen.

6. _____ immer alles fragen. Unsere Lehrerin war wirklich nett.

2.4 Ein Gespräch: *müssen, wollen, dürfen* oder *können?* Ergänzen Sie die Modalverben im Präteritum.

💬 *Wolltest* _____ du nach dem Kindergarten gern zur Schule gehen?

🗨 Oh ja, ich _____ sehr gern zur Schule gehen. Ich _____ schon meinen

Namen schreiben, aber ich _____ auch sehr gern lesen lernen.

💬 Hat deine Mutter dich zur Schule gebracht oder bist du allein gegangen?

🗨 Ich habe einen Bruder. Er ist zwei Jahre älter und ich _____ leider immer mit

ihm zusammen gehen. Aber ich _____ viel lieber mit meinen Freundinnen gehen.

💬 Wie war das am Anfang? Kannst du dich an die erste Zeit erinnern?

🗨 Ja, ich weiß noch, dass wir zuerst immer aufstehen _____ und alle zusammen

„Guten Morgen" gesagt haben. Aber unsere Lehrerin war nicht sehr streng. In ihrem

Unterricht haben wir oft gespielt und wir _____ uns auch unterhalten. Bei den

anderen Lehrern _____ wir immer leise sein.

💬 Was war im ersten Schuljahr am schönsten?

🗨 Am schönsten war, dass ich schon bald selbst Bücher lesen _____ und dass ich

gute Freundinnen gefunden habe. Das war eine schöne Zeit.

💬 _____ ihr euch auch zu Hause besuchen?

🗨 Na ja, manchmal _____ wir uns besuchen, aber meistens haben wir draußen

gespielt. Nur bei Regen _____ ich zu Hause bleiben. Das war sehr langweilig.

3 Und Sie? Was durften, konnten, mussten Sie früher (nicht)?

1.51 ◉ **3.1** Hören Sie die Fragen und antworten Sie wie im Beispiel.

1. Durften Sie bei Regen Eis essen?
2. Durften Sie einen eigenen Fernseher haben?
3. Durften Sie abends Freunde treffen?
4. Durften Sie ein Handy haben?
5. Mussten Sie im Winter eine Mütze tragen?
6. Mussten Sie in der ersten Klasse Hausaufgaben machen?

> *Ja, ich durfte bei Regen Eis essen.*

> *Nein, ich durfte bei Regen kein Eis essen.*

1.51 ◉ **3.2** Schließen Sie das Buch. Hören Sie noch einmal und antworten Sie.

1.52 ◉ **3.3** Hören Sie und reagieren Sie wie im Beispiel.
Variieren Sie Ihre Antworten.

Was? – Wie bitte? – Wirklich? – Unglaublich! –
Das kann doch nicht sein! – Das ist nicht wahr!

> *Ich durfte auch im Winter Eis essen.*

> *Wirklich? Du durftest auch im Winter Eis essen?*

3.4 Was konnten oder durften Sie als Kind (nicht) tun? Schreiben Sie Sätze.

Ich durfte als Kind...

4 Menschen mit interessanten Lebensläufen

4.1 Schule in Deutschland. Was macht man wann? Ordnen Sie zu.

das Abitur machen – zur Grundschule gehen – auf das Gymnasium gehen –
in den Kindergarten gehen – zur Realschule gehen – an der Universität studieren

| 1 | 3 | 5 *das Abitur machen* |

3–6 Jahre   6–10 Jahre   10–16 Jahre   10–18 Jahre   ab 18 Jahre

| 2 | 4 | 6 |

4.2 Wörter zum Lebenslauf. Was ist das? Ergänzen Sie.

→
1. Die Kinder in einer Klasse sind die ...
2. Ihr Geburtstag ist am 12. Juli.
   Sie ist am 12. Juli 1965 ...
3. Einen Beruf lernen: Eine ... machen.
4. An der Universität macht man ein ...
5. Eine „Eins" im Test ist eine sehr gute ...

↓
6. Von der 1. bis zur 4. ... geht man zur Grundschule.
7. Am Ende vom Schuljahr bekommt man ein ...
8. Etwas im Leben funktioniert richtig gut.
   Man hat ...
9. Mit guten Noten kann man von der Realschule aufs Gymnasium ...

Lösung:

1.53 🔘 **4.3** Zwei Lebensläufe. Welches Foto passt zu wem? Hören Sie und ordnen Sie zu.

a ☐ Marina Meierfeld

b ☐ Katja Brunner

1.53 🔘 **4.4** Hören Sie noch einmal und ergänzen Sie.

LEBENSLAUF

Marina Meierfeld

geboren am

14.02. _____

Schule und Berufsausbildung:

1996–2004: Gymnasium

_____ : Abitur (Note: 2,4)

2004–2007: _____

zur Dekorateurin

Berufserfahrungen:

2007–2011: Dekorateurin in einem

Möbelgeschäft _____

seit 2011: _____

Lebenslauf

von Katja Brunner

geboren am 1. Juni _____

Schule und Studium

_____ : Abitur (Note: 1,5)

1992–1999: _____ und

_____ studiert

Berufserfahrungen

1999–2015: _____

an einer Realschule

2015–heute: _____

5 Wortbildung: Nomen auf *-heit*, *-keit*, *-ung*. Wie heißt das Nomen? Ordnen Sie zu.

Krankheit – Hoffnung – Bestellung – ~~Süßigkeit~~ – Heizung – ~~Entschuldigung~~ – Wohnung – Gesundheit – Kindheit – Einladung

Nomen auf *-ung*:

1. sich entschuldigen – *die Entschuldigung*
2. wohnen – _____
3. bestellen – _____
4. einladen – _____
5. hoffen – _____
6. heizen – _____

Nomen auf *-heit* und *-keit*:

7. süß – *die Süßigkeit*
8. gesund – _____
9. krank – _____
10. Kind – _____

6 Und Sie? Welche Ausbildung haben Sie?

6.1 Birgittas Lebenslauf. Schreiben Sie Sätze über Brigittas Leben.

an der Universität Kunst studieren – die Realschule besuchen – nicht so gute Noten haben –
eine Ausbildung zur Sachbearbeiterin machen – zur Grundschule gehen –
eine Stelle in einem Museum bekommen und heute Ausstellungen organisieren

Von 1993 bis 1997 ist Birgitta zur Grundschule gegangen, danach hat sie von ...

1.54 6.2 Diktat. Hören und ergänzen Sie. Nutzen Sie die Pausentaste ( ).

Von 1993 bis 1997 bin ich _____. Danach habe ich

_____ die Realschule besucht. Ich hatte _____

_____. Deshalb konnte ich _____. Meine Eltern wollten,

dass ich _____.

Das war sehr langweilig. 2004 habe ich dann _____ und bin

_____. Bis 2009 _____

_____. Seit 2011 _____ und organisiere

Ausstellungen.

6.3 Und Ihr Lebenslauf? Ergänzen Sie.

...

Ich bin von _____ bis _____ zur Schule gegangen.

...

Meine Noten waren _____. Meine Lehrer waren _____.

...

Ich habe eine Ausbildung zum/zur _____ gemacht. /

Ich habe _____ studiert.

1.55 6.4 Karaoke. Hören Sie und sprechen Sie die -Rolle.

7 Boulevard der Stars: Marlene Dietrich. Lesen Sie und kreuzen Sie an.

Marlene Dietrich auf der Berlinale

Marlene Dietrich im Film *Blonde Venus* (1932)

In diesem Jahr kann man auf der Berlinale – dem großen Filmfestival in Berlin – vom 11. bis zum 22. Februar alle Marlene-Dietrich-Filme sehen.
5 In Berlin hat der Erfolg von Marlene Dietrich begonnen. Sie ist 1901 hier geboren und hat in den 1920er Jahren in vielen Filmen gespielt. Typisch für Marlene Dietrich waren ihre lan-
10 gen Beine, ihre besondere Stimme und ihre Anzüge. Marlene Dietrich hat Hosen für Frauen in den 1930er Jahren zur Mode gemacht. 1930 hatte die deutsche Schauspielerin und Sängerin die Hauptrolle im Film *Der blaue*
15 *Engel*. Der Film hatte auch in den USA großen Erfolg und so hat Marlene Dietrich in Hollywood mit bekannten Schauspielern wie Gary Cooper oder Spencer Tracey in vielen
20 Filmen gespielt.

1939 hat Marlene Dietrich die US-amerikanische Nationalität bekommen. Sie wurde US-Amerikanerin. Ab den 1950er Jahren hat
25 Marlene Dietrich auch sehr viel als Sängerin gearbeitet. 1978 hat sie ihren letzten Film gemacht. Danach hat sie bis 1992 in Paris gelebt. Lernen Sie die Filme von Marlene Dietrich
30 kennen. Sie finden das Filmprogramm unter *www.marlene-dietrich-berlinale.de.* Besuchen Sie vor oder nach einem Film doch auch die Marlene-Dietrich-Ausstellung im Film- und
35 Fernsehmuseum. Es ist auch am Potsdamer Platz, also gleich neben dem Berlinale-Kino.

1. Auf der Berlinale…
a ☐ hat Marlene Dietrichs Erfolg begonnen.
b ☐ ist Marlene Dietrich schon aufgetreten.
c ☐ zeigt man Marlene-Dietrich-Filme.

2. In den 1920er Jahren…
a ☐ hat Marlene Dietrich nicht gern Hosen getragen.
b ☐ hat Marlene Dietrich als Schauspielerin gearbeitet.
c ☐ ist Marlene Dietrich geboren.

3. Ab den 1930er Jahren hat Marlene Dietrich…
a ☐ mit Gary Cooper gelebt.
b ☐ in Hollywood Filme gemacht.
c ☐ nur noch als Sängerin gearbeitet.

4. Marlene Dietrich war…
a ☐ Deutsche.
b ☐ US-Amerikanerin.
c ☐ zuerst Deutsche, dann US-Amerikanerin.

5. Das Film- und Fernsehmuseum ist in…
a ☐ Berlin.
b ☐ Potsdam.
c ☐ Paris.

8 Die Star-Galerie

8.1 Til Schweiger. Was passt? Ergänzen Sie.

Erfolg – umgezogen – Abitur – verheiratet – Arbeit – geboren – Fernsehserien – Studium – ~~Schauspieler~~ – Ausbildung – Brüder

```
○○○
                www.star-galerie.de

        HOME  ☆  NEUES  ☆  STARS VON A–Z  ☆  KINOTIPPS
```

Til Schweiger:
– ein erfolgreicher deutscher *Schauspieler* und Filmemacher

☆ _____ am 19. 12. 1963 in Freiburg

☆ Familie: zwei _____, beide Eltern Lehrer

☆ _____ an der Herderschule Gießen

☆ _____ (Deutsch / Medizin), aber kein Abschluss

☆ 1986: _____ zum Schauspieler

☆ 1989: _____ am Theater in Bonn

☆ danach: in vielen _____ gespielt und erste Kinofilme gemacht

☆ 2003: viel _____ mit dem Hollywood-Film *Tomb Raider* (mit Angelina Jolie)

☆ seit 2007: macht fast jedes Jahr einen Film

☆ seit 2011: Stern auf dem *Boulevard der Stars* in Berlin

☆ privat: 1995–2014 mit Dana Schweiger _____

☆ vier Kinder (drei sind Schauspieler)

☆ hat bis 2004 in den USA gelebt, dann nach Hamburg _____

Til Schweiger bei der 63. Berlinale, 9. 2. 2013 in Berlin

8.2 Lesen Sie den Steckbrief und schreiben Sie einen Text über Til Schweiger.

Til Schweiger ist ein erfolgreicher deutscher Schauspieler und Filmemacher. Er ist am ...

Und in Ihrer Sprache?

1 Lesen Sie noch einmal den Steckbrief über Til Schweiger. Welche Informationen finden Sie besonders interessant? Was hat Sie überrascht? Markieren Sie in 8.1.

2 Berichten Sie einer Freundin / einem Freund in Ihrer Muttersprache.

1 Über seine Schulzeit und Kindheit erzählen. Schreiben Sie Fragen zu den Antworten.

1. 🗩 _____

🖒 Nein, mein Schulweg war nicht sehr lang. Nur zehn Minuten zu Fuß.

2. 🗩 _____

🖒 Oh ja, wir mussten viele Hausaufgaben machen.

3. 🗩 _____

🖒 Nein, meine erste Lehrerin war nicht streng. Sie war sehr nett.

4. 🗩 _____

🖒 Nein, als Kind durfte ich bei Regen nicht draußen spielen.

5. 🗩 _____

🖒 Ja, ich musste viel im Haushalt helfen. Jeden Tag.

6. 🗩 _____

🖒 Nein, wir hatten keine Computer in der Schule.

Punkte
6

2 Über Biografien und Ausbildung sprechen.

2.1 Bringen Sie die Sätze in die richtige Reihenfolge.

a ☐ Von 1987 bis 1991 bin ich zur Goetheschule gegangen.
b ☐ Meine Noten waren gut und deshalb bin ich danach auf das Gymnasium gegangen.
c ☐ Ich bin 1981 geboren.
d ☐ 1999 habe ich das Gymnasium erfolgreich abgeschlossen.
e ☐ Jetzt arbeite ich seit 13 Jahren in einer großen Bank in Frankfurt.
f ☐ Im Herbst 1999 habe ich eine Ausbildung bei einer Bank begonnen.
g ☐ Im Gymnasium habe ich die erste Reise mit meiner Klasse gemacht.
h ☐ 2002 war ich mit der Ausbildung fertig und habe eine Stelle bekommen.

Punkte
4

2.2 Was passt zu welchem Satz in 2.1? Ordnen Sie zu.

1. ☐ das Abitur machen
2. ☐ zur Grundschule gehen
3. ☐ ein gutes Zeugnis haben
4. ☐ eine Ausbildung abschließen
5. ☐ auf Klassenfahrt fahren
6. ☐ eine Ausbildung machen

Punkte
6

3 Erstaunen ausdrücken. Ergänzen Sie die Sprechblasen.

1. Ich durfte jeden Tag zwei Eis essen!
2. Ich musste nie Hausaufgaben machen.

Punkte
4

Punkte gesamt
17–20: Super!
11–16: In Ordnung.
 0–10: Bitte noch einmal wiederholen!

Seite 64–65

die Schulzeit (Sg.) _____

die Kindheit (Sg.) _____

böse _____

damals _____

ehemalig _____

leihen, er/sie hat geliehen _____

streng _____

das Papier, -e _____

der Leser, - _____

die Leserin, -nen _____

die Ecke, -n _____

die Klasse, -n _____

sich erinnern _____

Sie erinnert sich noch gut an ihre Kindheit. _____

_____

(sich) unterhalten, er/sie unterhält,

er/sie hat unterhalten _____

wahr _____

Seite 66–67

geboren (sein) _____

Sie ist am 14.06.1995 in Wien geboren. _____

_____

teilnehmen, er/sie nimmt teil, er/sie hat teilgenommen _____

_____

wechseln _____

das Gymnasium, Gymnasien _____

Sie geht auf das Gymnasium. _____

_____

das Schwimmbad, -ä-er _____

das Studium (Sg.) _____

das Zeugnis, -se _____

der Autor, -en _____

die Autorin, -nen _____

der Einwanderer, - _____

die Einwanderin, -nen _____

der Komponist, -en _____

die Komponistin, -nen _____

der Muslim, -e _____

die Muslimin, -nen _____

der Zufall, -ä-e _____

die Ausbildung, -en _____

Er macht eine Ausbildung zum Designer. _____

die Band, -s _____

die Hauptrolle, -n _____

die Hauptschule, -n _____

die Klassenfahrt, -en _____

die Realschule, -n _____

abschließen, er/sie hat abgeschlossen _____

der Abschluss, -ü-e _____

die Grundschule, -n _____

die Note, -n _____

Seite 68–69

möglich _____

österreichisch _____

das Filmfestival, -s _____

der Filmemacher, - _____

die Filmemacherin, -nen _____

der Stein, -e _____

die Hauptstadt, -ä-e _____

sterben, er/sie stirbt, er/sie ist gestorben _____

Deutsch aktiv 5|6/Panorama 3

extra _____

G Grammatik

Wörter

1   Verben im Präsens

1.1 Regelmäßige Verben ▶ Singular **A1**, E 1, S. 13; Plural **A1**, E 2, S. 17

Infinitiv:	kommen	heißen	arbeiten
ich	komme	heiße	arbeite
du	kommst	heißt	arbeitest
er/es/sie	kommt	heißt	arbeitet
wir	kommen	heißen	arbeiten
ihr	kommt	heißt	arbeitet
sie/Sie	kommen	heißen	arbeiten

Bei Verben mit d *oder* t *vor der Endung:*
*2. und 3. P. Sg und 2. P. Pl. +*e.
du arbeitest, er arbeitet

Bei Verben mit s, ss, ß, x *oder* z *vor der*
Endung: 2. P. Sg. ohne s.
Heißt du Mia?

Die Sie-Form ist wie die Plural-Form.

Wie heißen sie?

Sie heißen Monika und Valerie.

Wie heißen Sie?

Ich heiße
Klaus Müller.

1.2 Verben mit Vokalwechsel ▶ **A1**, E 5, S. 42

Infinitiv:	a → ä fahren	e → ie lesen	e → i treffen	au → äu laufen
ich	fahre	lese	treffe	laufe
du	fährst	liest	triffst	läufst
er/es/sie	fährt	liest	trifft	läuft
wir	fahren	lesen	treffen	laufen
ihr	fahrt	lest	trefft	lauft
sie/Sie	fahren	lesen	treffen	laufen
genauso:	schlafen (du schläfst, er/sie schläft) einladen (du lädst ein, er/sie lädt ein)	sehen (du siehst, er/sie sieht)	sprechen (du sprichst, er/sie spricht) essen (du isst, er/sie isst) nehmen (du nimmst, er/sie nimmt) helfen (du hilfst, er/sie hilft)	

1.3 Unregelmäßige Verben ▶ *sein* und *mögen* **A1**, E 1, S. 13 und E 2, S. 17;
haben und *möchten* **A1**, E 4, S. 34; *werden* **A2**, E 2, S. 20

Infinitiv:	sein	mögen	haben	möchten	werden
ich	bin	mag	habe	möchte	werde
du	bist	magst	hast	möchtest	wirst
er/es/sie	ist	mag	hat	möchte	wird
wir	sind	mögen	haben	möchten	werden
ihr	seid	mögt	habt	möchtet	werdet
sie/Sie	sind	mögen	haben	möchten	werden

84 vierundachtzig

1.4 Trennbare Verben

▶ A1, E 5, S. 45

	Position 2		Satzende
ab|holen	Wir	holen	mittags die Kinder	ab.
	Mittags	holen	wir die Kinder	ab.
W-Frage:	Wann	holst	du die Kinder	ab?
Perfekt:	Wir	haben	mittags die Kinder	abgeholt.

	Position 1	Position 2		Satzende
Ja/Nein-Frage:	Holst	du	mittags die Kinder	ab?
Imperativ:	Hol		bitte mittags die Kinder	ab!

genauso: **an**fangen (er/sie fängt an), **auf**hören (er/sie hört auf), **auf**räumen (er/sie räumt auf), **aus**gehen (er/sie geht aus), **ein**laden (er/sie lädt ein), **kennen**lernen (er/sie lernt kennen), **mit**bringen (er/sie bringt mit), **mit**kommen (er/sie kommt mit), **um**steigen (er/sie steigt um), **weg**fahren (er/sie fährt weg), **zurück**schicken (er/sie schickt zurück) ...

1.5 Modalverben

▶ *wollen* und *müssen* **A1**, E 7, S. 60; *können* **A1**, E 8, S. 65; *sollen* **A1**, E 15, S. 122; *dürfen* **A1**, E 15, S. 125

Infinitiv:	wollen	müssen	können	sollen	dürfen
ich	will	muss	kann	soll	darf
du	willst	musst	kannst	sollst	darfst
er/es/sie	will	muss	kann	soll	darf
wir	wollen	müssen	können	sollen	dürfen
ihr	wollt	müsst	könnt	sollt	dürft
sie/Sie	wollen	müssen	können	sollen	dürfen

	Position 2 Modalverb		Satzende Infinitiv
Er	will	für Franzi	kochen.
Sie	muss	heute	arbeiten.
Sie	kann	am Samstag	kommen.
Hier	darf	man nicht	rauchen.
Der Mann	soll	die nächste Straße links	fahren.

1.6 Reflexive Verben

▶ A2, E 5, S. 43

Er kämmt sich.   Er kämmt seine Kundin.

genauso: (sich) ansehen, (sich) anziehen, (sich) ärgern, (sich) ausziehen, (sich) rasieren, (sich) schminken, (sich) waschen ...

Ich beeile mich.   Wollen wir uns mal wieder treffen?
Wie fühlst du dich in deinem Alltag?   Ihr entschuldigt euch.
Rudi ärgert sich.   Die Kinder streiten sich.

genauso: sich erholen, sich freuen ...

1.7 Höfliche Bitte: *könnte-* ▶ **A2**, E 2, S. 18

Könnten Sie mir bitte helfen?
Könntest du mir helfen?
Könntet ihr eine Flasche Wein mitbringen?

1.8 *würde- gern* + Infinitiv ▶ **A1**, E 16, S. 129

ich	würde
du	würdest
er/es/sie	würde
wir	würden
ihr	würdet
sie/Sie	würden

würde- + gern + *Infinitiv* ≈ möchten + *Infinitiv*

Ich würde gern ausgehen. ≈ Ich möchte ausgehen.

	Position 2		Satzende
Sandra	würde	gern lange	schlafen.
Im Urlaub	würden	wir gern einen Tauchkurs	machen.

1.9 Imperativ

Imperativ formell ▶ **A1**, E 12, S. 96

(Sie machen oft Sport.)
Machen Sie oft Sport!

(Sie nehmen ab)   Nehmen Sie (doch) ab!
(Sie vergessen)   Vergessen Sie das Lachen nicht!
(Sie sind)   Seien Sie viel draußen!

Imperativ informell ▶ **A1**, E 12, S. 97

du:	(du gehst)	Geh (doch) ins Fitnessstudio!	(du bist)	Sei dich nicht faul!
	(du isst)	Iss viel Obst!	(du hast)	Hab keine Angst!
	(du nimmst ab)	Nimm (doch) ab!	(du schläfst)	Schlaf gut!
ihr:	(ihr geht)	Geht (doch) spazieren!	(ihr seid)	Seid viel draußen!
	(ihr esst)	Esst nicht zu viel Fett!	(ihr habt)	Habt Geduld!
	(ihr nehmt ab)	Nehmt (doch) ab!	(ihr schlaft)	Schlaft nicht zu lange!

2 Verben in der Vergangenheit

2.1 Präteritum von *sein* und *haben* ▶ Präteritum von *sein* **A1**, E 6, S. 51; von *haben* **A1**, E 8, S. 67

Infinitiv:	sein	haben
ich	war	hatte
du	warst	hattest
er/es/sie	war	hatte
wir	waren	hatten
ihr	wart	hattet
sie/Sie	waren	hatten

Im Februar hatte ich Urlaub.

Schön! Und wo warst du?

Ich war in Wien und in Innsbruck.

2.2 Modalverben im Präteritum ▶ **A2**, E 8, S. 65

Infinitiv	wollen	müssen	können	dürfen	sollen
ich	wollte	musste	konnte	durfte	sollte
du	wolltest	musstest	konntest	durftest	solltest
er/es/sie	wollte	musste	konnte	durfte	sollte
wir	wollten	mussten	konnten	durften	sollten
ihr	wolltet	musstet	konntet	durftet	solltet
sie/Sie	wollten	mussten	konnten	durften	sollten

	Position 2 Modalverb		Satzende Infinitiv
Ich	konnte	damals nicht mit dem Bus	fahren.
Ich	musste	zu Fuß zur Schule	gehen.

2.3 Perfekt ▶ Perfekt mit *haben* **A1**, E 10, S. 81; Perfekt mit *sein* **A1**, E 10, S. 82

		Position 2		Satzende
Perfekt mit haben	Ich	habe	keinen Kaffee	gekocht.
	Frau Schreiber	hat	auf meine Fragen	geantwortet.
	Am Donnerstag	haben	wir zusammen	gegessen.
Perfekt mit sein	Ich	bin	mit dem Flugzeug	geflogen.
	Nach vier Stunden	sind	wir in Dresden	angekommen.
	Helena	ist	zur Konferenz	gegangen.

Die meisten Verben bilden das Perfekt mit haben.

Perfekt mit *sein*

Bewegungsverben	andere Verben
gehen, fahren, fliegen, kommen, laufen, ankommen, ...	passieren, bleiben, ...

Partizip II mit *ge-* ▶ **A1**, E 10, S. 81

regelmäßig	unregelmäßig
(hat) gemacht	(hat) gegessen
(hat) gearbeitet	(ist) geblieben
(hat) kennengelernt	(hat) angefangen

Partizip II ohne *ge-* ▶ Verben auf *-ieren* **A1**, E 10, S. 81; untrennbare Verben **A2**, E 1, S. 11

Verben auf -ieren	regelmäßig	unregelmäßig
(hat) kopiert	(hat) bestellt	(hat) vergessen
(ist) passiert	(hat) erzählt	(ist) gefallen

Verben auf -ieren *und Verben mit* be-, emp-, ent-, er-, ge-, ver- *bilden das Partizip II ohne* ge-.

3   Verben mit Ergänzungen

3.1   Verben mit Akkusativ   ▶ **A1**, E 4, S. 34

> *Brauchst du einen Computer?*

> *Nein, ich brauche keinen Computer. Ich habe einen Laptop. Aber ich kaufe heute ein Smartphone.*

genauso: mögen, sehen, lesen, suchen, ...

3.2   Verben mit Dativ   ▶ **A1**, E 14, S. 115

> *Die Bluse passt dir nicht. Sie ist zu groß. Aber der Rock steht dir gut!*

> *Ja, der Rock gefällt mir auch. Aber er gehört mir leider nicht.*

genauso: helfen, danken, ...

3.3   Verben mit Dativ und Akkusativ   ▶ **A1**, E 13, S. 109

	Person (Dativ)	Sache (Akkusativ)	
Ich zeige	dir	die Karte.	
Kannst du	mir	einen Tipp	geben?
Ich möchte	dir	etwas	schenken.
Ich bringe	meinem Vater	ein Buch	mit.

4   Artikel und Nomen

4.1   Artikelwörter   ▶ definit und indefinit **A1**, E 3, S. 28; negativ **A1**, E 3, S. 29; Possessivartikel **A1**, E 6, S. 49

	maskulin		neutral		feminin		Plural	
definit	der	Mann	das	Kind	die	Frau	die	Freunde
indefinit	ein	Mann	ein	Kind	eine	Frau	–	Freunde
negativ	kein	Mann	kein	Kind	keine	Frau	keine	Freunde
Possessivartikel	mein	Mann	mein	Kind	meine	Frau	meine	Freunde

4.2   Singular und Plural   ▶ **A1**, E 3, S. 28

Singular	Plural	Endung	Singular	Plural	Endung
der Stift	die Stifte	-e	die Brille	die Brillen	-n
der Stuhl	die Stühle	-ü-e	die Tür	die Türen	-en
das Bild	die Bilder	-er	das Handy	die Handys	-s
das Buch	die Bücher	-ü-er	die Freundin	die Freundinnen	-nen
der Computer	die Computer	-			

Lernen Sie neue Nomen immer mit Artikel und Plural!

4.3 Nominativ, Akkusativ, Dativ

▶ Nominativ **A1**, E 3, S. 26; Akkusativ **A1**, E 4, S. 33; Dativ **A1**, E 9, S. 74–75

Nominativ

	maskulin		neutral		feminin		Plural	
definit	der	Mann	das	Kind	die	Frau	die	Freunde
indefinit	ein	Mann	ein	Kind	eine	Frau	–	Freunde
negativ	kein	Mann	kein	Kind	keine	Frau	keine	Freunde

Akkusativ

	maskulin		neutral		feminin		Plural	
definit	den	Mann	das	Kind	die	Frau	die	Freunde
indefinit	einen	Mann	ein	Kind	eine	Frau	–	Freunde
negativ	keinen	Mann	kein	Kind	keine	Frau	keine	Freunde

Dativ

	maskulin		neutral		feminin		Plural	
definit	dem	Mann	dem	Kind	der	Frau	den	Freunden
indefinit	einem	Mann	einem	Kind	einer	Frau	–	Freunden
negativ	keinem	Mann	keinem	Kind	keiner	Frau	keinen	Freunden

4.4 Possessivartikel

▶ Nominativ und Akkusativ **A1**, E 6, S. 49; Dativ **A1**, E 13, S. 109

Nominativ

	maskulin/neutral		feminin		Plural	
ich	mein	Vater/Kind	meine	Mutter	meine	Freunde
du	dein	Vater/Kind	deine	Mutter	deine	Freunde
er/es	sein	Vater/Kind	seine	Mutter	seine	Freunde
sie	ihr	Vater/Kind	ihre	Mutter	ihre	Freunde
wir	unser	Vater/Kind	unsere	Mutter	unsere	Freunde
ihr	euer	Vater/Kind	eure	Mutter	eure	Freunde
sie/Sie	ihr/Ihr	Vater/Kind	ihre/Ihre	Mutter	ihre/Ihre	Freunde

Der Possessivartikel hat dieselben Endungen wie kein.

Akkusativ:	Ich mag meinen Vater.	Dativ:	Ich esse mit meinem Vater.
	Ich mag mein Kind.		Ich esse mit meinem Kind.
	Ich mag meine Mutter.		Ich esse mit meiner Mutter.
	Ich mag meine Freunde.		Ich esse mit meinen Freunden.

4.5 Nullartikel

▶ **A1**, E 7, S. 58

Hast du   Zeit?

Dort gibt es   Joghurt.

Nomen mit Nullartikel: Man kann es nicht zählen oder die Anzahl ist nicht wichtig.

4.6 Das Genitiv-s

▶ **A1**, E 11, S. 91

Das ist das Zimmer von Astrid. = Das ist Astrids Zimmer.

aber: Das ist das Zimmer von Klaus. = Das ist Klaus' Zimmer.

5 Pronomen

5.1 Personalpronomen im Nominativ, Akkusativ und Dativ

▸ Nominativ **A1**, E 3, S. 30; Akkusativ **A1**, E 4, S. 33; Dativ **A1**, E 13, S. 109

der → er   die → sie
das → es   die → sie (Plural)

Nominativ	Akkusativ	Dativ
ich	mich	mir
du	dich	dir
er	ihn	ihm
es	es	ihm
sie	sie	ihr
wir	uns	uns
ihr	euch	euch
sie/Sie	sie/Sie	ihnen/Ihnen

Habe ich sie schon einmal gesehen?

Ich mag ihn. Mag er mich auch?

Das Kleid steht Ihnen wirklich gut!

Wie heißen Sie?

Das Kleid steht ihr gar nicht. Es sieht schlimm aus ...

Danke. Es gefällt mir auch.

5.2 Reflexivpronomen

▸ **A2**, E 5, S. 43

ich	mich	wir	uns
du	dich	ihr	euch
er/es/sie	sich	sie/Sie	sich

5.3 *man*

▸ **A1**, E 5, S. 46

In der Schweiz macht man gern Sport. = Alle / Die Schweizer machen gern Sport.
Man = *3. Person Singular.*: Hier liest man viel.

5.4 Das Pronomen *es*

▸ **A1**, E 14, S. 111

Es regnet. Aber morgen ist es sonnig.

6 Präpositionen

6.1 Lokale Präpositionen

Wo?	bei	Ja, wir arbeiten bei DesigNetz / beim Bäcker.
	in	Ich wohne in Köln. Ich war schon in Brasilien.
		⚠ Ich war schon in der Türkei / im Iran / in den USA.
	gegenüber von	Die Bank ist gegenüber von der Buchhandlung

bei + dem = beim; in + dem = im; gegenüber von + dem = gegenüber vom

Woher?	aus	Ich komme aus Frankfurt. Er komme aus Deutschland.
		⚠ Sie kommen aus dem Iran / der Türkei / den USA.
		Ich gehe um acht aus dem Haus.
	von	Ich komme um vier vom Deutschkurs.

von + dem = vom

Wohin?	an … vorbei	Sie gehen an der Bank vorbei.
	bis zu	Fahren Sie bis zur Kreuzung.
	durch	Sie sind durch das Tor gegangen.
	gegen	Sie ist gegen den Baum gefahren.
	nach	Sie fliegt heute nach Dresden / nach Deutschland.
		⚠ Sie fliegt in die Türkei / in den Iran / in die USA.
	zu	Um 8 Uhr gehe ich zum Arzt.

an + dem … vorbei = am vorbei; (bis) zu + dem = (bis) zum;
(bis) zu + der = (bis) zur

6.2 Temporale Präpositionen

Wann?	an	Ich habe am 12. Mai Geburtstag. Am Mittwoch habe ich frei.
		Am Abend gehe ich mit Tom ins Theater. ⚠ In der Nacht schlafen wir.
	in	Im Juli habe ich keine Zeit. Wir fahren im Sommer weg.
		Der Zug fährt in fünf Minuten ab.
	um	Ich komme um acht Uhr.
	von … bis	Von halb acht bis acht Uhr frühstücke ich.
	vor	Vor dem Test lerne ich.
	nach	Nach dem Test feiere ich.
	zwischen	Zwischen 18 und 19:30 mache ich Sport.
Seit wann?	seit	Er lernt seit einem Monat Deutsch.
Bis wann?	bis	Bis 2 Uhr / Montag / Mai habe ich frei.
Ab wann?	ab	Ab 19 Uhr / Freitag / Juni bin ich zu Hause.

6.3 Präpositionen: *als, aus* (Material), *für, mit, ohne*

als	Ich arbeite als Ärztin.
aus	Der Lampenschirm ist aus Glas.
für	Wollen wir für Claudia kochen?
mit	Ich nehme einen Kaffee mit Zucker. Fährst du oft mit dem Bus?
ohne	Ich hätte gern einen Kaffee ohne Zucker.

6.4 Präpositionen mit Dativ: *aus, bei, mit, nach, seit, von, zu*

▶ **A1**, E 9, S. 75 (Ort), S. 76 (Zeit)

aus	Ich gehe um acht aus dem Haus.
bei	Ich wohne bei meinem Freund.
mit	Fährst du oft mit dem Bus?
nach	Nach dem Test feiere ich.
seit	Er lernt seit einem Monat Deutsch.
von	Ich komme um vier von der Arbeit.
zu	Um 8 Uhr gehe ich zum Arzt.

bei + dem = beim; von + dem = vom; zu + dem = zum; zu + der = zur

6.5 Präpositionen mit Akkusativ: *durch, für, gegen, ohne*

▶ *für* **A1**, E 7, S. 60; *ohne* **A1**, E 7, S. 62; *durch* und *gegen* **A2**, E 1, S. 13

durch	Er fährt durch den Park.
für	Ich arbeite für dich.
gegen	Sie läuft gegen einen Mann.
ohne	Ich gehe ohne dich ins Kino.

6.6 Wechselpräpositionen: *an, auf, hinter, in, neben, über, unter, vor, zwischen*

▶ mit Dativ **A1**, E 11, S. 92; mit Akkusativ **A2**, E 7, S. 61

Wo? (Dativ)		Wohin? (Akkusativ)	
an	Das Bild hängt an der Wand.	Das Bild kommt an die Wand.	
auf	Die Kiste ist auf dem Bett.	Die Kiste kommt auf das Bett.	
hinter	Das Bild hängt hinter der Tür.	Das Bild kommt hinter die Tür.	
in	Die Bücher sind im Arbeitszimmer.	Die Bücher kommen ins Arbeitszimmer.	
neben	Der Schrank steht neben dem Bett.	Der Schrank kommt neben das Bett.	
über	Die Lampe hängt über dem Tisch.	Die Lampe kommt über den Tisch.	
unter	Der Tisch steht unter dem Fenster.	Der Tisch kommt unter das Fenster.	
zwischen	Der Sessel steht zwischen der Tür und dem Schrank.	Der Sessel kommt zwischen die Tür und den Schrank.	

an + dem = am	an + das = ans
in + dem = im	in + das = ins

7 Adjektive und Adverbien

7.1 Adjektive nach dem Nomen (prädikativ)

▶ **A1**, E 3, S. 30 und E 4, S. 36

Der Füller ist schön, aber die Tasse finde ich nicht schön.
Das Buch ist interessant, aber der Film ist langweilig.
Karsten ist unsympathisch. Aber seine Schwester finde ich nett.

7.2 Adjektive nach indefinitem und negativem Artikel

▶ **A2**, E 4, S. 35

	Nominativ			Akkusativ			Dativ		
m	ein	toller	Sänger	einen	tollen	Sänger	einem	tollen	Sänger
	kein	toller	Sänger	keinen	tollen	Sänger	keinem	tollen	Sänger
n	ein	gutes	Lied	ein	gutes	Lied	einem	guten	Lied
	kein	gutes	Lied	kein	gutes	Lied	keinem	guten	Lied
f	eine	große	Show	eine	große	Show	einer	großen	Show
	keine	große	Show	keine	große	Show	keiner	großen	Show
Pl.	–	neue	Filme	–	neue	Filme	–	neuen	Filmen
	keine	neuen	Filme	keine	neuen	Filme	keinen	neuen	Filmen

7.3 Adjektive nach definitem Artikel

▶ **A2**, E 6, S. 48

	Nominativ			Akkusativ			Dativ		
m	der	schwarze	Tisch	den	schwarzen	Tisch	dem	schwarzen	Tisch
n	das	grüne	Sofa	das	grüne	Sofa	dem	grünen	Sofa
f	die	kleine	Lampe	die	kleine	Lampe	der	kleinen	Lampe
Pl.	die	grünen	Stühle	die	grünen	Stühle	den	grünen	Stühlen

7.4 Adjektive mit *zu*

▶ **A1**, E 11, S. 91

Die Wohnung ist zu klein / zu dunkel / zu teuer.
40 Minuten mit der S-Bahn – das finde ich zu weit.

7.5 Komparativ und Superlativ

▶ **A2**, E 3, S. 29

		Komparativ	Superlativ
regelmäßig:	schön	schöner	am schönsten
	schnell	schneller	am schnellsten
	leicht	leichter	am leichtesten
mit Umlaut:	alt	älter	am ältesten
	groß	größer	am größten
	hoch	höher	am höchsten
unregelmäßig:	viel	mehr	am meisten
	gut	besser	am besten
	gern	lieber	am liebsten

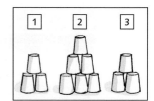

Pyramide 1 ist kleiner **als** Pyramide 2.
Pyramide 1 ist genauso hoch **wie** Pyramide 3.

7.6 Adverbien der Häufigkeit

▶ **A1**, E 5, S. 44

Wie oft?

nie   selten   manchmal   oft   immer

▷ Du rufst nie an, ich rufe immer an!
△ Nein, manchmal rufe ich auch an.
▷ Aber sehr selten.

8 Wortbildung

8.1 Berufe: maskulin und feminin

▶ **A1**, E 2, S. 16

Student   Studentin
Arzt   Ärztin
Kaufmann   Kauffrau

8.2 Komposita

▶ **A1**, E 14, S. 113

der Winter + der Mantel   der Sommer + das Kleid   der Regen + die Hose

der Wintermantel   das Sommerkleid   die Regenhose

8.3 Adjektive mit *-un*

▶ **A2**, E 4, S. 33

sympathisch – unsympathisch, sportlich – unsportlich, interessant – uninteressant
aber: nett – nicht nett

Arno findet Lena sympathisch. Susi findet sie unsympathisch.
Mein Sohn ist sehr unsportlich. Er findet Fußball total uninteressant.

8.4 Nomen auf *-heit, -keit, -ung*

▶ **A2**, E 8, S. 67

immer feminin: die Kindheit, die Süßigkeit, die Ausbildung

9 Ordinalzahlen

▶ **A1**, E 14, S. 107

Wann?	am	ersten/zweiten/dritten/vierten/.../siebten/...	Mai (*Zahl* + -ten)
	am	zwanzigsten/einundzwanzigsten/...	Mai (*ab 20: Zahl* + -sten)
Welcher Tag ist heute?	der	erste/zweite/dritte/vierte/.../siebte/...	Mai (*Zahl* + -te)
	der	zwanzigste/einundzwanzigste/...	Mai (*ab 20: Zahl* + -ste)

Sätze

1 Aussagesätze ▶ **A1**, E1, S.11; E8, S.64; E9, S.75

	Position 2		Satzende
Ich	telefoniere.		
Er	heißt	Tom.	
Wir	suchen	einen USB-Stick.	
Heute Abend	gehen	wir	aus.
Tom	will	für Franzi	kochen.
Ich	bringe	ihm eine CD	mit.

2 Fragesätze ▶ **A1**, E1, S.11; E8, S.64; E9, S.75

2.1 W-Fragen

Position 1	Position 2		
Wie	heißen	Sie?	Hannah Schreiber.
Wer	bist	du?	Ich bin Mia.
Woher	kommen	Sie?	Ich komme aus Köln.
Wo	wohnst	du?	Ich wohne in Berlin.
Was	magst	du?	Ich mag Musik.
Wohin	sind	Sie gefahren?	Nach Dresden.
Wann	können	Sie kommen?	Um 7 Uhr.

2.2 Fragen mit *was für ein* ▶ **A2**, E4, S.32

	Nominativ	Akkusativ
m	Was für ein Film ist das?	Was für einen Film möchtest du sehen?
n	Was für ein Quiz ist das?	Was für ein Quiz magst du?
f	Was für eine Sendung ist das?	Was für eine Sendung möchtest du sehen?
Pl.	Was für – Serien laufen auf Pro7?	Was für – Serien magst du?

2.3 Ja-/Nein-Fragen ▶ **A1**, E4, S.20

Position 1	Position 2		
Magst	du	Vanilleeis?	Ja, sehr gern.
Hast	du	einen Ausflug gemacht?	Nein, ich war zu Hause.

3 *Ja – nein – doch* ▶ **A1**, E4, S.35

💬 Haben Sie Tablets? 👍 Ja, wir haben Tablets. 👎 Nein, wir haben leider keine Tablets.

💬 Haben Sie keine Tablets? 👍 Doch, wir haben Tablets. 👎 Nein, wir haben keine Tablets.

4 Verneinung im Satz

▶ *kein* **A1**, E 3, S. 29; *nicht* **A1**, E 4, S. 32

kein		nicht	
kein	Ich habe kein Handy.	nicht	Ich gehe heute nicht ins Kino.
	Hast du keine Lust?		Ich tanze nicht gern.
	Ich durfte kein Eis essen.		Ich durfte nicht oft fernsehen.

5 Sätze verbinden

5.1 Konjunktionen *und, oder, aber* und *deshalb*

▶ **A2**, E 1, S. 14

Hauptsatz 1		Hauptsatz 2		
Hier haben die Kaiser gewohnt	und	jetzt	wohnt	hier der Bundespräsident.
Sie können hier Museen besuchen	oder	Sie	gehen	in ein Konzert.
Im MQ kann man Kunst sehen,	aber	es	gibt	auch viele Cafés.

Hauptsatz 1		Hauptsatz 2		
Das alles bietet das Palmenhaus,		deshalb	ist	das Kaffeehaus beliebt.

5.2 *zuerst – dann – danach*

▶ **A1**, E 11, S. 94

Zuerst habe ich in einer Dachwohnung gewohnt. Dann habe ich in einem Hochhaus gewohnt. Danach habe ich in einem Bauernhaus gewohnt.

6 Nebensätze

6.1 *Warum?* Nebensätze mit *weil*

▶ **A2**, E 2, S. 17

Anna geht nach München. Ihr Freund lebt dort.
Anna geht nach München, weil ihr Freund dort lebt.

			Satzende (Verb)
Anna geht nach München,	weil	ihr Freund dort	lebt.
Mario spricht etwas Deutsch,	weil	er schon Deutsch	gelernt hat.
Wir können oft sprechen,	weil	wir	skypen können.
Für die Familie ist es kein Problem,	weil	seine Frau gern	mitkommt.

6.2 Nebensätze mit *dass*

▶ **A2**, E 3, S. 27

Susi sagt: „Papageien sind intelligent."
Susi sagt, dass Papageien intelligent sind.

			Satzende (Verb)
Susi sagt,	dass	Papageien intelligent	sind.
Susi findet,	dass	Turmspringen sehr elegant	aussieht.
Rudi sagt,	dass	er schon einen Sushi-Kurs	gemacht hat.
Rudi denkt,	dass	er Kopf-Tischtennis	ausprobieren will.

Unregelmäßige Verben

Infinitiv	3. Pers. Sg. Präsens	3. Pers. Sg. Perfekt
abfahren	er/sie fährt ab	er/sie ist abgefahren
abfliegen	er/sie fliegt ab	er/sie ist abgeflogen
abgeben	er/sie gibt ab	er/sie hat abgegeben
abnehmen	er/sie nimmt ab	er/sie hat abgenommen
abschließen	er/sie schließt ab	er/sie hat abgeschlossen
anbieten	er/sie bietet an	er/sie hat angeboten
anfangen	er/sie fängt an	er/sie hat angefangen
anhalten	er/sie hält an	er/sie hat angehalten
ankommen	er/sie kommt an	er/sie ist angekommen
anrufen	er/sie ruft an	er/sie hat angerufen
ansehen (sich)	er/sie sieht an	er/sie hat angesehen
anziehen (sich)	er/sie zieht an	er/sie hat angezogen
aufstehen	er/sie steht auf	er/sie ist aufgestanden
auftreten	er/sie tritt auf	er/sie ist aufgetreten
ausgehen	er/sie geht aus	er/sie ist ausgegangen
ausleihen	er/sie leiht aus	er/sie hat ausgeliehen
ausschlafen	er/sie schläft aus	er/sie hat ausgeschlafen
aussehen	er/sie sieht aus	er/sie hat ausgesehen
aussteigen	er/sie steigt aus	er/sie ist ausgestiegen
ausziehen (sich)	er/sie zieht aus	er/sie hat ausgezogen
beginnen	er/sie beginnt	er/sie hat begonnen
behalten	er/sie behält	er/sie hat behalten
bekommen	er/sie bekommt	er/sie hat bekommen
bieten	er/sie bietet	er/sie hat geboten
bitten	er/sie bittet	er/sie hat gebeten
bleiben	er/sie bleibt	er/sie ist geblieben
bringen	er/sie bringt	er/sie hat gebracht
denken	er/sie denkt	er/sie hat gedacht
einladen	er/sie lädt ein	er/sie hat eingeladen
einsteigen	er/sie steigt ein	er/sie ist eingestiegen
entscheiden	er/sie entscheidet	er/sie hat entschieden
entstehen	er/sie entsteht	er/sie ist entstanden
essen	er/sie isst	er/sie hat gegessen
fahren	er/sie fährt	er/sie ist gefahren
fallen	er/sie fällt	er/sie ist gefallen
fernsehen	er/sie sieht fern	er/sie hat ferngesehen
finden	er/sie findet	er/sie hat gefunden
fliegen	er/sie fliegt	er/sie ist geflogen
freihaben	er/sie hat frei	er/sie hatte frei *(Präteritum)*
geben	er/sie gibt	er/sie hat gegeben
gefallen	er/sie gefällt	er/sie hat gefallen
gehen	er/sie geht	er/sie hat gesehen
gelten	er/sie gilt	er/sie hat gegolten
genießen	er/sie genießt	er/sie hat genossen
gewinnen	er/sie gewinnt	er/sie hat gewonnen
gießen	er/sie gießt	er/sie hat gegossen
haben	er/sie hat	er/sie hatte *(Präteritum)*
hängen	er/sie hängt	er/sie hat gehangen

Infinitiv	3. Pers. Sg. Präsens	3. Pers. Sg. Perfekt
heißen	er/sie heißt	er/sie hat geheißen
helfen	er/sie hilft	er/sie hat geholfen
kaputtgehen	er/sie geht kaputt	er/sie ist kaputtgegangen
kennen	er/sie kennt	er/sie hat gekannt
klingen	er/sie klingt	er/sie hat geklungen
kommen	er/sie kommt	er/sie ist gekommen
laufen	er/sie läuft	er/sie ist gelaufen
leihen	er/sie leiht	er/sie hat geliehen
lesen	er/sie liest	er/sie hat gelesen
liegen	er/sie liegt	er/sie hat gelegen
mitbringen	er/sie bringt mit	er/sie hat mitgebracht
mitkommen	er/sie kommt mit	er/sie ist mitgekommen
mitlaufen	er/sie läuft mit	er/sie ist mitgelaufen
mögen	er/sie mag	er/sie hat gemocht
nehmen	er/sie nimmt	er/sie hat genommen
pfeifen	er/sie pfeift	er/sie hat gepfiffen
scheinen	er/sie scheint	er/sie hat geschienen
schlafen	er/sie schläft	er/sie hat geschlafen
schlagen	er/sie schlägt	er/sie hat geschlagen
schließen	er/sie schließt	er/sie hat geschlossen
schneiden	er/sie schneidet	er/sie hat geschnitten
schreiben	er/sie schreibt	er/sie hat geschrieben
schwimmen	er/sie schwimmt	er/sie ist geschwommen
sehen	er/sie sieht	er/sie hat gesehen
sein	er/sie ist	er/sie war *(Präteritum)*
singen	er/sie singt	er/sie hat gesungen
sitzen	er/sie sitzt	er/sie hat gesessen
spazieren gehen	er/sie geht spazieren	er/sie ist spazieren gegangen
sprechen	er/sie spricht	er/sie hat gesprochen
springen	er/sie springt	er/sie ist gesprungen
stattfinden	er/sie findet statt	er/sie hat stattgefunden
stehen	er/sie steht	er/sie hat gestanden
sterben	er/sie stirbt	er/sie ist gestorben
streiten (sich)	er/sie streitet	er/sie hat gestritten
teilnehmen	er/sie nimmt teil	er/sie hat teilgenommen
tragen	er/sie trägt	er/sie hat getragen
treffen (sich)	er/sie trifft	er/sie hat getroffen
trinken	er/sie trinkt	er/sie hat getrunken
umsteigen	er/sie steigt um	er/sie ist umgestiegen
umziehen	er/sie zieht um	er/sie ist umgezogen
unterhalten (sich)	er/sie unterhält	er/sie hat unterhalten
unterschreiben	er/sie unterschreibt	er/sie hat unterschrieben
verbinden	er/sie verbindet	er/sie hat verbunden
vergessen	er/sie vergisst	er/sie hat vergessen
verlassen	er/sie verlässt	er/sie hat verlassen
verlieren	er/sie verliert	er/sie hat verloren
verschlafen	er/sie verschläft	er/sie hat verschlafen
verstehen	er/sie versteht	er/sie hat verstanden

Infinitiv	3. Pers. Sg. Präsens	3. Pers. Sg. Perfekt
vorlesen	er/sie liest vor	er/sie hat vorgelesen
vorsprechen	er/sie spricht vor	er/sie hat vorgesprochen
vorbeikommen	er/sie kommt vorbei	er/sie ist vorbeigekommen
waschen (sich)	er/sie wäscht	er/sie hat gewaschen
wegfahren	er/sie fährt weg	er/sie ist weggefahren
wegfliegen	er/sie fliegt weg	er/sie ist weggeflogen
weglaufen	er/sie läuft weg	er/sie ist weggelaufen
wegwerfen	er/sie wirft weg	er/sie hat weggeworfen
wehtun	er/sie tut weh	er/sie hat wehgetan
werden	er/sie wird	er/sie ist geworden
werfen	er/sie wirft	er/sie hat geworfen
wiederkommen	er/sie kommt wieder	er/sie ist wiedergekommen
wissen	er/sie weiß	er/sie hat gewusst
zurückliegen	er/sie liegt zurück	er/sie hat zurückgelegen

Lösungen

1 Auf Reisen

1.1
1. Flugticket – 2. Gepäck – 3. Abflug –
4. Eintrittskarte – 5. Flughafen – 6. Ankunft –
7. Postkarte – 8. Reisepass
Lösungswort: Semesterferien

1.2
1. g – 2. a – 3. f – 4. e – 6. h – 7. c – 8. d

1.3
Beispiel: 1. Wir möchten einen Flug buchen. –
2. Ich muss den Rucksack packen. – 3. Marti hat den
Reisepass vergessen. – 4. Jetzt wollen wir die Stadt
besichtigen. – 5. Ein Freund hat uns ein Hotel
empfohlen. – 6. Wir haben keinen Sitzplatz
bekommen. – 7. Sie hat uns den Weg erklärt. –
8. Wir haben sie nach dem Weg gefragt.

1.4
1. *von* – nach – mit
2. am – um
3. im – in – von – bis
4. nach – in

1.5
a 5 – b 8 – c 2 – d 4 – e 3 – g 6 – h 7

1.6
Beispiel: Dort <u>haben</u> <u>sie</u> viele Sehenswürdigkeiten
<u>gesehen</u> und <u>haben</u> viel <u>fotografiert</u>. Dann <u>sind</u> sie zu
einer Freundin nach Paros <u>gefahren</u>. Dort <u>haben</u> sie oft
im Meer <u>gebadet</u>. Sie <u>sind</u> oft am Abend <u>ausgegangen</u>.
Sie <u>sind</u> auch einmal in den Bergen <u>gewandert</u>. In Linz
<u>sind</u> sie ins Konzert <u>gegangen</u>.

2.1

regelmäßige Verben	
(_)ge__(e)t	__(e)t
gebucht (buchen)	entschuldigt (entschuldigen)
gebadet (baden)	erklärt (erklären)
gepackt (packen)	passiert (passieren)
gesucht (suchen)	besichtigt (besichtigen)
kennengelernt (kennenlernen)	besucht (besuchen)
	diskutiert (diskutieren)

unregelmäßige Verben	
(_)ge__en	__en
gegessen (essen)	bekommen (bekommen)
gegangen (gehen)	vergessen (vergessen)
gefahren (fahren)	empfohlen (empfehlen)
	verstanden (verstehen)

2.2
passieren – gehen – fahren

2.3
1. haben ... gepackt
2. haben ... besichtigt
3. hat ... erklärt – haben ... verstanden –
   haben ... gesucht
4. haben ... besucht
5. hat ... gebucht
6. hat ... bekommen

2.4
1. einen Flug nach Rom im Internet buchen – 2. den
Koffer packen – 3. zum Flughafen fahren – 4. in Rom
ankommen, aber der Koffer nicht da sein – 5. zur
Information gehen und das Problem erklären – 6. nach
zwei Tagen die Sachen endlich bekommen

2.5
Beispiel: Dann hat sie ihren Koffer gepackt und ist zum
Flughafen gefahren. Sie ist in Rom angekommen, aber
ihr Koffer war nicht da. Dann ist sie zur Information
gegangen und hat das Problem erklärt. Nach zwei
Tagen hat sie ihre Sachen endlich bekommen.

3.1
1. richtig – 2. falsch – 3. richtig – 4. falsch

3.2
1. Haben Sie schon einmal den Reichstag in Berlin
besichtigt? – 2. Haben Sie schon einmal in der Schweiz
Urlaub gemacht? – 3. Haben Sie schon einmal einen
Koffer am Flughafen verloren? – 4. Haben Sie schon
einmal einen Geburtstag vergessen?

3.3
2. Ja, ich habe schon einmal ein Hotel im Internet
gebucht. / Nein, ich habe noch nie ein Hotel im Internet
gebucht. – 3. Ja, ich bin schon einmal in einem See
geschwommen. / Nein, ich bin noch nie in einem See
geschwommen. – 4. Ja, ich bin schon einmal mit
einem Motorrad gefahren. / Nein, ich bin noch nie mit
einem Motorrad gefahren. – 5. Ja, ich habe schon
einmal meinen Laptop verloren. / Nein, ich habe noch
nie meinen Laptop verloren. – 6. Ja, ich habe schon
einmal Käsefondue probiert. / Nein, ich habe noch nie
Käsefondue probiert.

4.1

2. die Bank, -en – 3. die Eisdiele, -n – 4. das Tor, -e –
5. die Buchhandlung, -en – 6. die Ampel, -n –
7. die Boutique, -n – 8. die Bushaltestelle, -n –
9. der Bahnhof, -ö-e

4.2

2.

4.3

5.1

1. der – 2. den – 3. das – 4. der

5.2

2. durch das Tor – 3. gegenüber von der Post –
4. am Rathaus vorbei – 5. gegen einen Mann –
6. bis zum Park / bis zum Baum

7.1

1. a – 2. b – 3. c – 4. b

7.2

1. *In Wien gibt es viele Sehenswürdigkeiten, deshalb
kommen* jeds Jahr viele Touristen. – 2. Viele Touristen
wollen Spezialitäten aus Österreich probieren, deshalb
besuchen sie den Naschmarkt. – 3. Die Kaiserin Sisi
kennt jeder, deshalb ist das Sisi-Museum in der
Hofburg sehr beliebt. – 4. Die Touristen sitzen oder
liegen gern auf den Sofas im Museumsquartier, deshalb
findet man dort oft keinen Platz.

7.3

viele Sehenswürdigkeiten – eine Kirche – Es gibt ihn –
und er ist 137 – hoch – Das Haus ist bunt – sehr
interessant – wohnen auch Leute – 50 Wohnungen –
das ist ein Park – viele Restaurants und eine Disko

8.1

Wie ist die Stadt?	Was gibt es in der Stadt?	Was kann man dort machen?
ruhig interessant	genug Schulen und Arbeitsplätze, viele Freizeitangebote, viele Radwege	Sport in der Natur machen, Sehenswürdigkeiten besuchen, in der Fußgängerzone shoppen

8.2

Beispiel: Ich heiße Petra und ich wohne in Köln. Die
Stadt ist sehr groß und laut. Es gibt eine Universität
und es gibt viele interessante Freizeitangebote. Deshalb
wohne ich sehr gern hier. Köln hat viele Radwege,
deshalb kann man viel Sport machen. Das Zentrum ist
sehr schön und in der Fußgängerzone sind immer viele
Touristen. Sie besichtigen die Sehenswürdigkeiten.

Alles klar?

1

ist ... gefahren – sind ... geblieben – haben ... besichtigt –
haben ... besucht – hat ... gefallen

2

1. b – 2. a – 3. b – 4. a

3

1. *deshalb* kann man hier gut leben –
2. *deshalb* besuchen viele Touristen die Stadt –
3. *deshalb* ist die Stadt für Studenten sehr interessant

2 Ziele und Wünsche

1.1

Smartphone – chatten – chatte – skypen – skype –
schicken – E-Mail – Computer – telefonieren

1.2

1. c – 2. a – 3. b

1.3

1. falsch – 2. falsch – 3. richtig – 4. richtig – 5. falsch –
6. falsch – 7. falsch – 8. richtig – 9. falsch

1.4

Beispiel: Sie ist mit ihrem Mann nach Deutschland
gekommen. Er hat eine Stelle als Arzt in München
bekommen, aber sie sucht noch eine Arbeit.
Am liebsten will sie als Programmiererin arbeiten.
Deshalb lernt sie Deutsch für die Arbeit. Sie sieht ihre
Familie nicht oft, deshalb chattet und skypt sie viel mit
ihren Eltern.

2.1

2. weil sie Musik in Köln studiert. – 3. weil seine Frau
eine Stelle in Stuttgart bekommen hat. – 4. weil sie
einen Sprachkurs machen möchte. – 5. weil seine
Freundin aus Deutschland kommt.

2.2

1. d – 2. e – 3. b – 4. c – 5. a

2.3

2. Die Eltern können oft kommen, weil die Flüge
günstig sind. – 3. Er will nach Japan auswandern, weil
das schon immer sein Traum war. – 4. Sie sucht eine
Arbeit, weil sie ihre Stelle verloren hat. – 5. Die Eltern
sind nicht so glücklich, weil ihre Tochter ins Ausland
gehen möchte.

2.4

2. Herr Bianchini geht heute nicht zur Arbeit, weil er Kopfschmerzen hat. – 3. Marianne will jetzt nicht spazieren gehen, weil es regnet. – 4. Meine Freundin antwortet nicht, weil ihr Handy kaputt ist. – 6. Kim und Mitja sind so müde, weil sie gestern lange auf der Party geblieben sind. – 7. Herr Thimm findet die Buchhandlung nicht, weil er den Zettel mit der Adresse vergessen hat. – 8. Frau Kovac kann nicht mit dem Auto fahren, weil sie ihren Autoschlüssel verloren hat.

3.1

1. d – 2. a – 3. b – 4. c

3.2

1. b – 2. c – 3. a

4.1

Beispiel: 1. *Entschuldigung, könnten Sie mir* einen Stift geben, bitte? – 2. Entschuldigung, könntet ihr die Flasche holen? – 3. Entschuldigung, könntest du mir die Handynummer sagen? – 4. Entschuldigung, könnten Sie ein Taxi rufen, bitte?

5.1

Beispiel: Guten Tag, mein Name ist <u>Patrick Adamo</u>. Ich möchte einen Deutschkurs machen. – Ich arbeite am Tag, deshalb möchte ich einen Abendkurs machen. – Tut mir leid, um 9 Uhr kann ich nicht. Ich arbeite bis <u>17</u> Uhr, kann ich danach kommen? – Ja gern, ich heiße <u>Patrick Adamo</u>. – Natürlich, ich buchstabiere: <u>P-A-T-R-I-C-K-A-D-A-M-O</u>. – Ich danke auch. Auf Wiederhören.

6

1. c – 2. b – 3. b – 4. c – 5. a

7.2

Technik an der Universität studiert – Praktikum in Deutschland machen – Ich habe in der Schule Deutsch gelernt – kann ich auch nicht mehr so gut – höre auch manchmal Radio auf Deutsch oder sehe Filme – viel verstehen – noch einen Kurs machen – ohne Fehler sprechen

8.1

a 5 – b 6 – c X – d 2

8.2

2. Der „Intensivkurs Italienisch" beginnt am elften Juli (11.7.) um 10 Uhr. – 3. Der Kurs „Fotografieren in den Sommerferien" dauert fünf Tage, jeden Tag vier Stunden. / ... dauert vom neunundzwanzigsten Juli (29.7.) bis zum dritten August (2.8.) – 4. Der „Schnell-kurs Italienisch für Anfänger" findet zweimal pro Woche statt. – 5. Den „Tanzabend" gibt es neun Wochen. – 6. Der „Tanzabend" dauert am Sonntag zwei Stunden. / Der „Tanzabend" dauert am Sonntag von 18 Uhr bis 20 Uhr.

8.3

1. b – 2. c – 3. b – 4. c – 5. a

Alles klar?

1

1. Abunya möchte nach Österreich gehen, weil ihr Freund Österreicher ist. – 2. Hüsein hat sein Heimat-land verlassen, weil seine Chancen in Deutschland besser sind. – 3. Irina besucht ihre Eltern oft in der Heimat, weil die Fahrt mit dem Bus nicht so teuer ist. – 4. Shuo chattet viel, weil er den Kontakt zu seinen Freunden in der Heimat nicht verlieren will.

2

1. b – 2. a – 3. a – 4. a

3

1. Können Sie mir einen Kurs empfehlen? / Haben Sie auch Kurse in der Woche? / Haben Sie auch Intensiv-kurse? – 2. Gibt es auch Kurse am Nachmittag? – 3. Muss ich einen Einstufungstest machen? – 4. Wie viel kostet der Intensivkurs?

4

1. Ich lerne seit sieben Monaten Deutsch. – 2. Ich habe einen Sprachkurs an der Volkshochschule gemacht. – 3. Ich brauche Deutsch für den Beruf. – 4. Ja, ich will/möchte die A2-Prüfung auf Deutsch machen.

3 Hoch, höher, am höchsten

1.1

1. Gitarre spielen – 2. Märchen vorlesen – 3. Haustiere haben – 4. (ins Wasser) springen/Turmspringen – 5. Tischtennis spielen – 6. Briefmarken sammeln

1.2

schwimmen – wandern – laufen – segeln – telefonieren – shoppen – lesen – tauchen – ausgehen

1.3

1. laufen – 2. lesen – 3. treffen – 4. sehen – 5. spielen – 6. fahren – 7. tanzen – 8. machen/treiben – 9. gehen

2.1

3. *dass* Klettern sehr gefährlich ist. – 4. Sie findet, dass Klettern aber total viel Spaß macht. – 5. PeterPan findet, dass Angeln wirklich langweilig ist. – 6. Er sagt, dass man sehr lange warten muss. – 7. Claudi23 sagt, dass sie Tangotanzen ausprobieren möchte. – 8. Sie findet, dass das sehr elegant ist. – 9. Lars sagt, dass er früher oft Gitarre gespielt hat. – 10. Er sagt, dass er heute leider keine Zeit mehr hat. – 11. Eda sagt, dass sie Chatten blöd findet. – 12. Sie denkt, dass skypen viel besser ist.

2.2

☺	☹	☺/☹
interessant	langweilig	*komisch*
cool	blöd	gefährlich
spannend	anstrengend	verrückt

2.3

Beispiel: Ich finde, dass Kochen interessant ist. Ich finde, dass Briefmarkensammeln sehr langweilig ist. Ich denke, dass Ausgehen cool ist. Ich finde, dass Sport sehr anstrengend ist. Ich finde, dass Wandern sehr interessant ist.

3.1

Beispiel: 1. *Sie hat gesagt, dass* Gitarrespielen viel Spaß macht. Sie hat gesagt, dass man alleine oder in einer Gruppe spielen kann. Sie hat erzählt, dass sie einmal pro Woche Unterricht hat. Sie hat gesagt, dass sie in der Freizeit zusammen mit Freunden spielt. Sie hat gesagt, dass sie manchmal auch Konzerte geben. Sie hat erzählt, dass sie letzte Woche bei einer Schulfeier gespielt haben. Sie hat gesagt, dass sie vielleicht später berühmt werden. –
2. *Herr Meyer hat gesagt, dass er sehr gern* kocht, am liebsten mit Freunden. Er hat gesagt, dass sie schon viele Sachen ausprobiert haben. Er hat erzählt, dass sie immer bei einem Freund zu Hause kochen. Er hat gesagt, dass das Spaßmacht. Er hat gesagt, dass sie meistens einmal pro Woche kochen. Er hat gesagt, dass sie zuerst kochen und dann zusammen essen. Er hat auch erzählt, dass sie nach dem Essen noch zusammenbleiben, reden und ein Glas Wein oder Bier trinken. Er hat gesagt, dass das gemütlich ist.

3.2

1. Was ist dein/Ihr Hobby? – 2. Wie oft spielst du / spielen Sie Tischtennis? – 3. Wo spielst du / spielen Sie Tischtennis? – 4. Mit wem spielst du / spielen Sie Tischtennis? – 5. Warum gefällt dir/Ihnen Tischtennis-spielen? / Was gefällt dir/Ihnen gut? – 6. Was gefällt dir/Ihnen nicht so gut? / Was findest du / finden Sie nicht so gut?

4.1

Beispiel: Sein Hobby ist Klettern. Er klettert dreimal pro Woche im Kletterkurs und im Sommer in den Bergen. Er klettert mit seiner Freundin. Ihm gefällt gut, dass er draußen in der Natur klettern kann. Er findet, dass Klettern sehr anstrengend ist, weil am nächsten Tag oft die Arme wehtun.

4.3

a – b – g – d – c – h

4.4

Beispiel: Am Montag geht Barbara immer schwimmen. Dienstags macht sie nichts. Mittwochs kocht sie mit Freunden. Donnerstags geht sie klettern und freitags geht sie Tango tanzen. Am Samstag fährt sie morgens immer Fahrrad.

5

falsch: 1. sechs – 2. in den Ferien – 3. heute – 4. 70 – 5. seine Enkel

6.1

1. interessanter – schöner – am schönsten – langweiliger – am interessantesten
2. älter – größer – am ältesten – am größten
3. höher – am höchsten

6.2

chatte ich viel – am liebsten spiele ich draußen Fußball – ich finde Fußball gut – kann besser – am besten – Und ich tanze gern – mein Lieblingshobby ist – kann ich am besten kochen

6.3

passt nicht: – 2. lieber – 3. besser – 4. am besten – 5. besser – 6. am liebsten – 7. am liebsten – 8. lieber

6.4

Beispiel: 1. *Niklas und Tobias* springen am höchsten.
2. Das Tablet ist genauso günstig wie das Smartphone. Das Tablet und das Smartphone sind günstiger als der Laptop. Sie sind am günstigsten. – 3. Karen wandert genauso weit wie Hanna. Karen und Hanna wandern weiter als Ingrid und Peter. Sie wandern am weitesten. – 4. Das Auto fährt schneller als die Straßenbahn und das Fahrrad. Es fährt am schnellsten. Die Straßenbahn fährt genauso schnell wie das Fahrrad.– 5. Lia schläft genauso lange wie Pia. Sie schlafen beide länger als Mia. Lia und Pia schlafen am längsten.

7.1

1. *Okay, wir* können am Wochenende schwimmen gehen – 2. Ich kann heute leider nicht klettern – 3. Wir können leider nicht mitkommen

7.2

1. *Sie* kann sehr lange die Luft anhalten. – 2. Florian kann noch nicht allein Fahrrad fahren. – 3. Yi-Weng kann schon ein bisschen Geige spielen.

7.3

Beispiel: Ich kann am besten auf Deutsch lesen. Ich kann am schönsten tanzen. Ich kann am meisten essen.

8.1

Wettbewerb – Sieger – Teilnehmer – Gedichte – hat ... stattgefunden – kämpft – schlagen

8.2

1. Der Slam-Wettbewerb findet im Stadttheater statt. – 2. Der Slam-Wettbewerb findet immer am ersten Sonntag im Monat statt. – 3. Der Wettbewerb fängt um 19:00 Uhr an. – 4. Die Eintrittskarten kosten fünf Euro. Für Kinder sind sie kostenlos.

9

1. falsch – 2. richtig – 3. falsch – 4. falsch

Und in Ihrer Sprache?

Was? Ski fahren – *Wann?* im Winter, am Wochenende – *Wo?* in den Bergen – *Mit wem?* allein und mit Freunden – ☺ nach dem Skifahren zusammen ins Restaurant gehen – ☹ sehr teuer

Alles klar?

1

1. *Linus sagt, dass* er gern klettert und wandert. –
2. *Linus findet, dass* Tischtennisspielen Spaß macht. –
3. Linus findet, dass Briefmarkensammeln langweilig ist. –
4. Linus sagt, dass er gern Märchen vorliest.

2

Das will ich auch einmal ausprobieren – *So ein* Quatsch! – *Ich finde, dass* Kopf-Tischtennis verrückt ist – *Kopf-Tischtennis – das* ist nichts *für mich*

3

Beispiel: 1. Sabine ist genauso groß wie Adile. Peter ist größer als Sabine und Adile, aber Oliver ist am größten. – 2. Oliver wandert lieber als Max. Er wandert genauso gern wie Hong. Aber Lina wandert am liebsten. – 3. Pavel springt genauso weit wie Merle. Sie springen weiter als Tina. Roman springt am weitesten. – 4. Mahmut liest mehr als Waltraud. Er liest genauso viel wie Rudi. Sara liest am meisten.

4 Ein toller Fernsehabend

1.1

2. „Wer wird Millionär" kommt um Viertel nach acht auf RTL. – 3. „Herr der Ringe" kommt um zehn nach zwei auf SAT.1. – 4. Das „heute-journal" kommt um Viertel vor zehn im Zweiten. – 5. „007" kommt um halb elf auf ProSieben. – 6. Heute kommt „Tatort" um Viertel nach acht im Ersten. – 7. Heute kommt/kommen „Die Simpsons" um zwanzig vor sieben auf ProSieben. – 8. Heute kommt die „SPORTreportage" um zehn nach fünf im Zweiten.

2.1

2. die Nachrichten – 3. der Liebesfilm – 4. der Animationsfilm – 5. die Dokumentation – 6. der Actionfilm – 7. der Krimi – 8. die Sportsendung

2.2

eine – einen – was für einen – einen – was für – ein – Was für ein

3

1. Olli – 2. TV-Muffel – 3. Krimi-Fan – 4. Mona F.

4.1

1. falsch – 2. billig – 3. schlecht – 4. klein – 5. lang – 6. leise – 7. neu – 8. gesund – 9. schnell – 10. spät

4.2

2. Nein, ich finde Basketball im Fernsehen uninteressant. – 3. Nein, ich finde Justin Bieber unsympathisch. – 4. Nein, ich finde Lady Gaga nicht hübsch. – 5. Nein, ich finde Chips ungesund. – 6. Nein, ich finde Krimis für Kinder ungefährlich. – 7. Nein, ich finde Dokumentationen nicht langweilig.

5.1

1. hat ... stattgefunden – 2. sind ... aufgetreten – 3. hat ... gewählt – 4. hat ... gewonnen – 5. hat ... moderiert – 6. haben ... erlebt

5.2

2. auftreten – 3. wählen – 4. gewinnen – 5. moderieren – 6. erleben

5.3

Kleider – Schuhe – Augen – Haare – Shoppen – Musik machen – 2014

5.4

Sängerin – Schauspielerin – lustig – verrückt und intelligent – 2008 bis 2013 – besonders erfolgreich – spricht sie – hat sie 2011 – moderiert – verheiratet – eine Tochter und zwei Söhne

6.1

2. f – 3. h – 4. c – 5. b – 6. a – 7. d – 8. g

6.2

Nominativ: m: deutscher – n: tolles – f: interessante
Akkusativ: n: spannendes – f: lustige – Pl.: deutsche
Dativ: m: kleinen – f: großen – Pl.: deutschen

6.3

1. gute – 2. erfolgreicher – 3. deutschsprachiges – 4. internationale – 5. tolles – 6. wunderbare – 7. wichtigen – 8. neue – 9. verrückten – 10. schönen – 11. ersten – 12. jungen

6.4

a: 2. anderes – 3. verrücktes – 4. cooles – 5. verrückten – 6. neuer
b: 1. coole – 2. neue – 3. gute
c: 1. erfolgreiche – 2. junge – 3. deutschen – 4. kurzes
d: 1. hübsches – 2. sympathisches – 3. cooles – 4. spannenden
e: 1. sympathische – 2. nette – 3. neue – 4. guter – 5. tolle – 6. kurzes – 7. wunderbaren
f: 1. neue – 2. junge – 3. laute – 4. kleinen – 5. großen – 6. ersten

6.5

2. e – 3. X – 4. a – 5. c – 6. f

7.1

Wer: Nachrichtenmoderatorin Judith Rakers („Tagesschau"); *Beruf/Karriere:* Studentin bei Zeitungen und beim Radio – heute erfolgreich – viele Sendungen; *Sendungen:* Talkshow „3 nach 9" mit Giovanni di Lorenzo – „ESC" in Düsseldorf mit Stefan Raab und Anke Engelke; *Familie:* verheiratet; *Hobbys:* Karaoke – essen

7.2

Beispiel: Sie moderiert seit 2005 die „Tagesschau". Als Studentin hat sie schon bei Zeitungen und beim Radio gearbeitet. Heute hat sie viele Sendungen, zum Beispiel die Talkshow „3 nach 9" mit Giovanni di Lorenzo.

2011 hat sie mit Stefan Raab und Anke Engelke auch den „ESC" in Düsseldorf moderiert. Judith Rakers ist verheiratet, sie mag Karaoke und sie isst gern.

8.1

In der Schweiz sieht man weniger fern als in Deutschland. *In Deutschland* sieht man am meisten fern. *In Österreich* sieht man länger fern als in der Schweiz.

8.2

1. J – 2. I – 3. L

8.3

1. falsch – 2. richtig – 3. falsch – 4. falsch

8.4

Beispiel: 1. *Jonas sieht lieber im Internet fern, weil* das praktisch ist. / *weil* er das praktisch findet. – 2. Leonie sieht lieber Videos auf YouTube, weil das Programm für junge Leute ist. – 3. Ina sieht lieber Nachrichten von *LeFloid*, weil sie nicht so langweilig sind.

Alles klar?

1

1. Am Donnerstag kommt um Viertel nach acht auf RTL „Wer wird Millionär?". – 2. Am Montag kommt um 18:00 Uhr das „Quizduell" im Ersten. – 3. Die „Tagesschau" kommt täglich um 20:00 Uhr im Ersten. – 4. Die „Champions-League" ist eine Sportsendung.

2.1

1. b – 2. d – 3. a – 4. c

2.2

Beispiel: 1. Meine Lieblingssendung ist / heißt „Wer wird Millionär?". Das ist ein Quiz. – 2. Actionfilme finde ich blöd. / Ich finde, dass Actionflme sehr spannend sind. – 3. Ich sehe oft Nachrichten, fast jeden Tag. – 4. Ich mag keine Sportsendungen und keine Serien. / Sportsendungen und Serien gefallen mir nicht.

3

Beispiel: LeFloid heißt richtig Florian Mundt. Er ist ein deutscher YouTuber, Videoblogger und Student. Für seine Arbeit hat er schon viele Preise bekommen. Im Juli 2015 hat er ein Interview mit Angela Merkel gemacht. Montags und donnerstags hat er ein Programm auf YouTube.

5 Alltag oder Wahnsinn?

1.1

2. Mit einer App kann man Fahrpläne lesen. – 3. Mit einer App kann man sich über das Wetter informieren. – 4. Man kann mit einer App den Alltag organisieren und Zeit sparen. – 5. Man kann mit einer App eine Reise planen. – 6. Mit einer App kann man eine Apotheke in der Nähe finden.

1.2

1. c – 2. d – 3. b – 4. a

1.3

1. zwischen – bis – ab
2. Bis – bis

1.4

1. Bis wann hast du / haben Sie am Sonntag geschlafen? –
2. Ab wann bist du / sind Sie im Urlaub? –
3. Wann bist du / sind Sie morgen zu Hause?

1.5

2. Der Bus fährt ab sechs Uhr. – 3. Ich arbeite heute bis 17 Uhr. – 4. Ich habe ab Montag Urlaub. – 5. Ich trainiere zwischen 20 und 23 Uhr im Fitnessstudio. – 6. Ich brauche die Informationen bis morgen.

2.1

2. Sabine Müller zieht ihren Sohn an, dann zieht sie sich an. – 3. Sabine Müller kämmt sich, dann kämmt sie ihren Sohn. – 4. Sabine Müller sieht ihren Sohn an, dann sieht sie sich (im Spiegel) an.

2.2

euch – mich – dich – uns – sich – sich – euch

2.3

a 5 – b 7 – c 8 – d 2 – e 1 – f 3 – g 6 – h 4

2.4

2. Sie trinkt um 6:20 Uhr / um 20 nach sechs Tee. –
3. Um 6:35 / um fünf nach halb sieben liest sie Zeitung und frühstückt. –
4. Sie wäscht sich um sieben Uhr. –
5. Um 7:15 Uhr / um Viertel nach Sieben zieht sie sich an. –
6. Um 7:30 Uhr / um halb acht kämmt sie sich. –
7. Sie geht um 7:55 Uhr / um fünf vor acht aus dem Haus. –
8. Um acht Uhr nimmt sie die U-Bahn.

2.5

2. Um zwanzig nach sechs hat sie Tee getrunken. –
3. Um fünf nach halb sieben hat sie Zeitung gelesen und gefrühstückt. –
4. Um sieben Uhr hat sie sich gewaschen. –
5. Um Viertel nach sieben hat sie sich angezogen. –
6. Um halb acht hat sie sich gekämmt. –
7. Um fünf vor acht ist sie aus dem Haus gegangen. –
8. Um acht Uhr hat sie die U-Bahn genommen.

3.1

2. Nein, ich habe mich noch nicht rasiert. – 3. Nein, ich habe mich noch nicht gekämmt. – 4. Nein, ich habe mich noch nicht gewaschen. – 5. Nein, ich habe mich noch nicht geschminkt. – 6. Nein, ich bin noch nicht aufgestanden.

3.3

2.

3.4

a 4 – b 3 – c 2 – d 1

4.1

1. haben – kommen
2. kochen – machen
3. bringen – vorlesen
4. waschen – aufhängen

4.2

b

4.3

Beispiel: 1. Sascha findet, dass die Arbeit sehr anstrengend ist. Aber die Bar ist cool. – 2. Sascha arbeitet von 21 Uhr bis fünf Uhr morgens. – 3. Vor der Arbeit hilft er Paul bei seinen Hausaufgaben und er isst zusammen mit seiner Familie. – 4. Sascha schläft von sechs Uhr bis halb eins. – 5. Sascha und Julia streiten sich manchmal, weil Sascha selten zu Hause ist und Julia fast nie sieht.

5.1

1. a – 2. b – 3. b – 4. a – 5. b – 6. a

5.2

1. c – 2. e – 3. a – 4. b – 5. d

5.3

1. freust ... dich – 2. streitet ... euch –
3. ärgerst ... dich – 4. uns beeilen – 5. fühlst ... dich

5.4

2. *Wir* streiten uns immer, weil wir beide gern diskutieren. – 3. *Ich* ärgere mich, weil wir uns immer streiten. – 4. *Wir* müssen uns beeilen, weil die U-Bahn in zehn Minuten kommt. – 5. *Ich* fühle mich schlecht, weil ich viel Stress habe.

6.1

passt nicht: 2

6.2

1. a – 2. a – 3. b – 4. b – 5. b

7.1

passt nicht: 1. das Hallenbad – 2. der Spiegel –
3. die Wäsche

7.2

oft sehr anstrengend – für mich eine gute Erholung – gibt es ein schönes Hotel – kann ich baden – trainieren – mich gut entspannen – gehe gern schwimmen – im Winter – am liebsten allein

7.3

1. b – 2. X (*passt nicht*) – 3. c – 4. a

7.4

1. c – 2. a – 3. e – 4. d – 5. b

7.5

Text a: 5. b
Text b: 1. c – 2. a – 3. e
Text c: 4. d

7.6

passt nicht:
1. furchtbar – dunkel – Stress – nicht – schlimme
2. sympathisch – sehr – immer – günstig – gefreut

7.8

1.

7.9

1. ja – 2. ja – 3. nein – 4. nein – 5. ja – 6. ja

Alles klar?

1

1. *Mit einer App kann man* den Alltag organisieren und Zeit sparen. – 2. Mit einer App kann man eine Reise planen. – 3. Man kann mit einer App Fahrpläne lesen. – 4. Mit einer App kann man sich über das Wetter informieren. – 5. Man kann mit einer App eine Apotheke in der Nähe finden.

2

1. Ich stehe zwischen halb sieben und sieben / zwischen 6:30 Uhr und 7:00 Uhr auf. – 2. Zwischen Viertel vor sieben und fünf nach sieben / Zwischen 6:45 Uhr und 7:05 Uhr wasche ich mich. – 3. Bis Viertel nach sieben / Bis 7:15 Uhr ziehe ich mich an. – 4. Ab Viertel nach sieben / Ab 7:15 Uhr frühstücke ich. – 5. Ab halb sieben / Ab 6:30 beeile ich mich.

3

Beispiel: 1. Ich finde das blöd. / Da fühle ich mich schlecht. / Das ärgert mich. / 2. Ich finde das blöd. / Das ärgert mich. / Ich bin sauer.

4

Beispiel: 1. *Wir hatten* eine wunderbare Zeit hier. – 2. Wir haben uns sehr gut erholt. – 3. Das Hotel ist schön und sehr günstig. – 4. Der Fitnessbereich ist klasse. – 5. Die Ruheräume haben uns sehr gut gefallen und der Service war toll. – 6. Wir kommen bestimmt wieder.

6 Die schwarzen oder die bunten Stühle?

1.1

1. falsch – 2. richtig – 3. falsch – 4. falsch – 5. richtig

1.2

Nominativ: m: kleiner – n: langes
Akkusativ: m: großen – n: kleines – f: helle
Dativ: n: kleinen – Pl.: unbequemen

1.3

gut<u>en</u> – gemütlich<u>e</u> – klein<u>en</u> – klein<u>en</u> – groß<u>en</u> – schön<u>en</u> – groß<u>es</u> – alt<u>en</u> – kleines – groß<u>en</u> – neuer – alt<u>en</u> – bequemes – alt<u>en</u> – eigen<u>es</u> – eigene

1.4

das *Regal*, -e – die *Tasche*, -n – das *Telefon*, -e – der *Stift*, -e – das *Heft*, -e – der *Schreibtischstuhl*, -ü-e – der *Papierkorb*, -ö-e

1.5

2. Das altmodische Telefon kostet 25 Euro. – 3. Die weiße Schreibtischlampe kostet 39 Euro. – 4. Die blauen Hefte kosten 4,99 Euro. – 5. Der rote Papierkorb kostet 19,90 Euro. – 6. Das kleine Bücher-regal kostet 239 Euro. – 7. Die gelbe Tasche kostet 175 Euro. – 8. Die bunten Stifte kosten 7,90 Euro.

1.7

Beispiel: 2. Ich finde das altmodische Telefon schön. – 3. Ich finde die weiße Schreibtischlampe altmodisch. – 4. Ich finde die blauen Hefte praktisch. – 5. Ich finde den roten Papierkorb hässlich. – 6. Ich finde das kleine Bücherregal schön. – 7. Ich finde die gelbe Tasche teuer. – 8. Ich finde die bunten Stifte günstig.

1.9

Beispiel: 1. ..., *aber auf Bild 2 steht er zwischen* den Büchern in dem kleinen Regal. – 2. Auf Bild 1 liegt die blaue Jacke auf dem grünen Stuhl, aber auf Bild 2 liegt sie auf der roten/großen Lampe. – 3. Auf Bild 1 steht der schwarze Fernseher auf dem grünen Tisch, aber auf Bild 2 steht er in dem großen Regal. – 4. Auf Bild 1 liegt der bunte Teppich unter dem blauen Stuhl, aber auf Bild 2 liegt er unter dem gelben Tisch. – 5. Auf Bild 1 steht die große Pflanze neben der roten/großen Lampe, aber auf Bild 2 steht sie neben dem blauen Stuhl. – 6. Auf Bild 1 stehen die kleinen Bilder in dem großen Regal, aber auf Bild 2 stehen sie auf dem gelben Tisch. – 7. Auf Bild 1 hängt die weiße Gardine vor dem kleinen Fenster, aber auf Bild 2 hängt sie vor dem großen Fenster. – 8. Auf Bild 1 steht die weiße Lampe auf dem gelben Tisch, aber auf Bild 2 steht die weiße Lampe auf dem grünen Tisch.

2.1

Beispiel: Ich habe ein großes Bett, einen schwarzen Stuhl, eine blaue Lampe, eine kleine Pflanze, eine weiße Gardine, einen günstigen Fernseher, ein modernes Sofa und einen grünen Teppich.

2.2

Beispiel: Das große Bett ist altmodisch. Ich möchte das große Bett wegwerfen. – Die blaue Lampe ist schön. Ich möchte die blaue Lampe nicht wegwerfen. – Das moderne Sofa ist praktisch. Ich möchte das moderne Sofa nicht wegwerfen. – Der grüne Teppich ist hässlich. Ich möchte den grünen Teppich wegwerfen.

3.1

1. e – 2. d – 3. b – 4. a – 5. c

4.1

Nominativ:

m: der blaue Anzug – ein blauer Anzug – kein blauer Anzug

n: das grüne Kleid – ein grünes Kleid – kein grünes Kleid

f: die rote Bluse – eine rote Bluse – keine rote Bluse

Pl.: die gelben Schuhe – gelbe Schuhe – keine gelben Schuhe

Akkusativ:

m: den blauen Anzug – einen blauen Anzug – keinen blauen Anzug

n: das grüne Kleid – ein grünes Kleid – kein grünes Kleid

f: die rote Bluse – eine rote Bluse – keine rote Bluse

Pl.: die gelben Schuhe – gelbe Schuhe – keine gelben Schuhe

Dativ:

m: dem blauen Anzug – einem blauen Anzug – keinem blauen Anzug

n: dem grünen Kleid – einem grünen Kleid – keinem grünen Kleid

f: der roten Bluse – einer roten Bluse – keiner roten Bluse

Pl.: den gelben Schuhen – gelben Schuhen – keinen gelben Schuhen

4.2

Der graue Anzug? das weiß ich nicht. Hier ist kein grauer Anzug. – Das grüne Kleid? Das weiß ich nicht. Hier ist kein grünes Kleid. – Die rote Bluse? Das weiß ich nicht. Hier ist keine rote Bluse. – Die gelben Schuhe? Das weiß ich nicht. Hier sind keine gelben Schuhe.

4.3

Der graue Anzug? Nein, ich sehe keinen grauen Anzug. – Das grüne Kleid? Nein, ich sehe kein grünes Kleid. – Die rote Bluse? Nein, ich sehe keine rote Bluse. – Die gelben Schuhe? Nein, ich sehe keine gelben Schuhe.

5.1

1. groß – klein
2. hoch
3. schwer – leicht
4. teuer – günstig – billig
5. rot – grün – blau
6. Glas – Keramik – Stoff – Metall

5.2

2. Der Tisch ist aus Glas (und Metall). – 3. Die Teller sind aus Keramik. – 4. Der Lampenschirm ist aus Stoff. – 5. Die Stühle sind aus Metall.

5.3

Gestern habe ich eine besondere Lampe gekauft. Der schwarze Fuß ist aus Metall. Der gelbe Lampenschirm ist aus Stoff. Die Lampe macht ein sehr warmes Licht. Leider war die Lampe nicht billig. Sie hat 495 Euro gekostet.

5.4

Laptop 1: 690 Euro – 1,2 kg – (ein dunkles) Rot – *interessant*

Laptop 2: 479 Euro – *1,1 kg* – schwarz –
 normal/langweilig

5.5

Beispiel: Laptop 1 ist teurer als Laptop 2. Laptop 2 ist
leichter als Laptop 1. (Das Design von) Laptop 1 ist
interessanter als (das Design von) Laptop 2.

5.6

Guten Tag, mein Name ist ..., ich möchte einen Laptop
bestellen. – Das ist die 235809 DX. – Nein, am Ende 09,
nicht 90. Also 235809 DX. – Aha, was kostet der jetzt? –
Oh, das ist gut. Wann kommt der Laptop? – Mein
Familienname ist ..., mein Vorname ist ... Ich wohne in
... – Danke schön. Auf Wiederhören.

5.8

235809 DX – Laptop – rot – 1 – 649

6.1

1. d – 2. c – 3. b – 4. a

6.2

1. Ein Artikel fehlt. – 2. Die Farbe ist falsch. –
3. Der Artikel ist kaputt. – 4. Ich habe falsch bestellt.

6.3

Beispiel: 1. Herr Diemer hat seine Regenschuhe
reklamiert, weil sie kaputt waren. Frau Schuhmann hat
Kleidung reklamiert, weil sie falsche Sachen
bekommen hat.

6.4

1. falsch – 2. richtig – 3. falsch – 4. falsch –
5. richtig – 6. richtig

7.1

1. b – 2. b – 3. c – 4. a – 5. c – 6. b

7.2

Beispiel:

Lieber Mike,
danke für deine E-Mail. Ich habe mich sehr gefreut. Ich
bin gerade in Hamburg bei meiner Oma. Das ist auch
sehr nett. Sie hat viel Zeit und zeigt mir die Stadt.
Upcycling klingt sehr interessant. Ich kenne das auch
ein bisschen. Zum Beispiel kann man aus alten
Plastiktüten schöne Taschen oder Schmuck machen.
Ich finde, dass das eine tolle Sache ist. Heute gibt es so
viel Müll, deshalb ist es wichtig, dass wir umweltbewusst
sind.
Wann kommst du wieder nach Leipzig? Wir können
doch mal zusammen shoppen gehen. In Leipzig gibt es
auch viele interessante Geschäfte. Hast du Lust?
Liebe Grüße
Lena

Und in Ihrer Sprache?

Beispiel:

Was? am 31.10. ein Sofa bestellt, Sofa da;
Termin? am 25.11. zwischen 10 und 15 Uhr liefern:
okay – oder lieber Termin im Dezember? anrufen!;
Telefon? 02634-643190

Alles klar?

1

Beispiel: 1. Den schwarzen Stuhl finde ich modern,
aber der gelbe Stuhl ist altmodisch. – 2. Die rote
Lampe finde ich hässlich, aber die blaue Lampe finde
ich elegant. – 3. Das blaue Sofa finde ich schöner als
das braune Sofa.

2

1. a – 2. b – 3. b – 4. b

3

Jacke – blau – 1 – 44,90

4

*Beispiel: Guten Tag, mein Name ist ... Ich habe ein
Problem. Ich habe* einen Spiegel bei Ihnen gekauft. Er ist
leider kaputt. Deshalb möchte ich ihn reklamieren. –
*Guten Tag, mein Name ist ... Ich habe ein Problem. Ich
habe* bei Ihnen eine grüne Tasche bestellt, aber ich habe
eine gelbe Tasche bekommen. Ich möchte die Tasche
reklamieren, weil sie die falsche Farbe hat.

7 Wohin kommt das Sofa?

1.1

1. Maxglan liegt westlich von der Altstadt. – 2. *richtig* –
3. Der Zoo liegt südlich vom Zentrum. – 4. Die
Ferienregion Salzkammergut liegt östlich von Salzburg.

1.2

passt nicht: im Norden – südlich – im Westen – im Osten

1.3

2. Die Altstadt liegt im Zentrum von Salzburg.
3. Der Dom liegt im Süden von der Altstadt.
4. Der Flughafen liegt im Westen von Maxglan.

2.1

zentral – Altbauwohnung – Mieten – günstiger –
auf dem Land – verkehrsgünstig – in der Nähe von –
bequem

2.2

Alex aus Kanada: B – *Li aus China:* A – *Pavel aus Polen:* D

3.1

1. Heizung – 2. Strom – 3. Vermieter – 4. Mieter –
5. Nebenkosten – 6. Quadratmeter – 7. Erdgeschoss –
8. Obergeschoss

3.2

Wohnung 1: 78 m^2 – 2 Zimmer – 956€ – 70€ –
 17:30 *Uhr – Beethovenstraße* 71, 1.OG
Wohnung 2: 98 m^2 – 3 Zimmer – 1280€ – 0€ –
 19:15 *Uhr – Heilbrunner Allee* 19, EG

5.1

2. in – 3. vor – 4. auf – 5. neben – 6. an – 7. über –
8. unter – 9. zwischen

5.2

1. *Die Fahrräder stehen zwischen der Kiste und* dem Sessel. – 2. Das Spielzeug liegt in der Kiste. – 3. Die Kiste steht vor/unter dem Fenster. – 4. Der Tisch steht (rechts) neben der Kiste. – 5. Die Kaffeemaschine steht unter dem Tisch. – 6. Die Stühle liegen vor/neben dem Tisch. – 7. Das Bild hängt hinter dem Sofa an der Wand. – 8. Der Computer liegt auf dem Sessel. – 9. Die Bücher liegen unter dem Sofa. – 10. Der Fernseher liegt auf dem Sofa.

6.1

ins – auf den – ins – auf das – auf das – in die – in den – in den – in den – ins – über das – zwischen die – an die

6.2

2. Auf dem Küchentisch? Aber der Computer kommt auf den Schreibtisch! – 3. Neben der Kaffeemaschine? Aber die Lampe kommt neben die Pflanze! – 4. Zwischen den Regalen? Aber das Sofa kommt zwischen die Fenster! – 5. Im Schlafzimmer? Aber die Kiste mit den Büchern kommt ins Arbeitszimmer!

6.3

1. *Der Computer* liegt auf dem Sessel, aber er kommt auf den Schreibtisch. – 2. Die Kaffeemaschine steht unter dem Tisch, aber sie kommt ins Regal. – 3. Die Katzenbox steht neben dem Sofa, aber sie kommt in den Schrank. – 4. Die Schlüssel liegen auf dem Tisch, aber sie kommen an die Wand.

7.1

a

7.2

1. a – 2. c – 3. b – 4. c – 5. c

8.1

8.2

2. Der schwarze Sessel kommt ins Wohnzimmer an die Wand zwischen den Balkon und die Küche. – 3. Der große Schrank kommt ins Schlafzimmer links neben die Tür. – 4. Der kleine Schrank kommt ins Kinderzimmer zwischen das Bett und das Fenster. – 5. Die große Lampe kommt ins Arbeitszimmer neben den Schreibtisch vor das Fenster.

9.1

1. Einweihungsparty – 2. besorgen – 3. Bauarbeiten – 4. Haustier – 5. verschenke – 6. vorbeikommen

9.2

1. b – g – d – a
2. c – e – f

9.3

kostenlos – Ich reise für zwei Monate – in meiner Wohnung – 89 Quadratmeter/m² groß – die Nebenkosten bezahlen – Strom – Wasser – Heizung – ein Haustier – Er ist sehr süß – gießen Sie auch meine Pflanzen – rufen Sie mich an: 0176 5254337

Alles klar?

1

1. b – 2. a – 3. d – 4. f – 5. c – 6. e

2

Beispiel: 1. *Die Wohnung* liegt ruhig. – 2. Ich wohne nördlich vom Zentrum. – 3. Die Miete ist sehr günstig. – 4. Meine Wohnung liegt in der Nähe vom Bahnhof.

3

Beispiel: 1. Ist die Wohnung im Ostend noch frei? – 2. Wie hoch ist die Miete? – 3. Wie hoch sind die Nebenkosten? – 4. Wann kann ich die Wohnung besichtigen? – 5. Wo ist/liegt die Wohnung?

4

2. Der Sessel kommt ins Wohnzimmer zwischen die Tür und das Fenster. – 3. Die Bücher kommen ins Arbeitszimmer unter den Schreibtisch. – 4. Das Spielzeug kommt ins Kinderzimmer auf das Regal. – 5. Der Spiegel kommt ins Bad an die Wand. – 6. Die Fahrräder kommen in den Keller neben den Schrank.

8 Lebenslinien

1.1

2. Unterricht – 3. Klasse – 4. hat ... geliehen – 5. streng – 6. haben ... unterhalten – 7. Böse – 8. Hof

1.2

Thomas: 2 – *Ben:* 1

1.3

Thomas: 1. – 2. – 3. – 5. – 7. – 9.
Ben: 2. – 4. – 6. – 7. – 8.

2.1

Könnt – darfst/kannst – darf/kann – musst – können – können

2.2

wollen: *du* wolltest – *er/es/sie* wollte – *wir* wollten – *sie/Sie* wollten

müssen: *ich* musste – *du* musstest – *wir* mussten – *ihr* musstet – *sie/Sie* mussten

können: *du* konntest – *er/es/sie* konnte – *wir* konnten – *ihr* konntet

dürfen: *ich* durfte – *er/es/sie* durfte – *wir* durften –

ihr durftet – *sie/Sie* durften

sollen: *du* solltest – *er/es/sie* sollte – *ihr* solltet – *sie/Sie* sollten

2.3

1. Wir durften – 2. Wir mussten – 3. Wir mussten – 4. Wir durften – 5. Wir mussten – 6. Wir durften

2.4

wollte – konnte – wollte – musste – wollte – mussten – durften/konnten – mussten – konnte – Durftet/Konntet – durften/konnten – musste

3.1 + 3.2

2. Ja, ich durfte einen eigenen Fernseher haben. / Nein, ich durfte keinen eigenen Fernseher haben. – 3. Ja, ich durfte abends Freunde treffen. / Nein, ich durfte abends keine Freunde treffen. – 4. Ja, ich durfte ein Handy haben. / Nein, ich durfte kein Handy haben. – 5. Ja, ich musste im Winter eine Mütze tragen. / Nein, ich musste im Winter keine Mütze tragen. – 6. Ja, ich musste in der ersten Klasse Hausaufgaben machen. / Nein, ich musste in der ersten Klasse keine Hausaufgaben machen.

4.1

1. in den Kindergarten gehen – 2. zur Grundschule gehen – 3. zur Realschule gehen – 4. aufs Gymnasium gehen – 5. *das Abitur machen* – 6. an der Universität studieren

4.2

1. Schüler – 2. geboren – 3. Ausbildung – 4. Studium – 5. Note – 6. Klasse – 7. Zeugnis – 8. Erfolg – 9. wechseln
Lösung: Klassenfahrt

4.3

a 2 – b 1

4.4

Marina Meierfeld: 1986 – 2004 – Ausbildung – Fotografin
Katja Brunner: 1973 – 1991 – Deutsch – Sport – Lehrerin / Tanzlehrerin

5

2. die Wohnung – 3. die Bestellung – 4. die Einladung – 5. die Hoffnung – 6. die Heizung. – 8. die Gesundheit – 9. die Krankheit – 10. die Kindheit

6.1

Beispiel: Von 1993 bis 1997 ist Birgitta zur Grundschule gegangen, danach hat sie von 1997 bis 2002 die Real-schule besucht. 2002 hatte sie nicht so gute Noten. Dann hat sie von 2002 bis 2004 eine Ausbildung zur Sachbearbeiterin gemacht. Von 2004 bis 2009 hat sie an der Universität Kunst studiert. 2011 hat sie eine Stelle in einem Museum bekommen und heute organisiert sie Ausstellungen.

6.2

zur Grundschule gegangen – von 1997 bis 2002 – nicht so gute Noten – nicht studieren – eine Ausbildung zur Sachbearbeiterin mache – das Abitur gemacht – an die Universität gegangen – habe ich Kunst studiert – arbeite ich in einem Museum

7

1. c – 2. b – 3. b – 4. c – 5. a

8.1

geboren – Brüder – Abitur – Studium – Ausbildung – Arbeit – Fernsehserien – Erfolg – verheiratet – umgezogen

8.2

Beispiel: Til Schweiger ist ein großer erfolgreicher Schau-spieler und Filmemacher. Er ist am 19.12.1963 in Freiburg geboren und hat zwei Brüder. Seine Eltern sind beide Lehrer. Sein Abitur hat er an der Herder-schule Gießen gemacht. Dann hat er Deutsch und Medizin studiert, aber er hat keinen Abschluss ge-macht. 1986 hat er eine Ausbildung zum Schauspieler angefangen und 1989 hat er am Theater in Bonn gearbeitet. Danach hat er in vielen Fernsehserien gespielt und erste Kinofilme gemacht. 2003 hatte er viel Erfolg mit dem Hollywood-Film Tomb Raider (mit Angelina Jolie). Seit 2007 macht er fast jedes Jahr einen Film und seit 2011 hat er einen Stern auf dem Boulevard der Stars in Berlin. Von 1995 bis 2014 war er mit Dana Schweiger verheiratet. Er hat vier Kinder. Drei sind Schauspieler. Bis 2004 hat er in den USA gelebt, dann ist er nach Hamburg umgezogen.

Alles klar?

1

1. War dein/Ihr Schulweg sehr lang? – 2. Musstet ihr / Mussten Sie viele Hausaufgaben machen? – 3. War deine/Ihre erste Lehrerin streng? – 4. Durftest du / Durften Sie bei Regen draußen spielen? – 5. Musstest du / Mussten Sie viel im Haushalt helfen? – 6. Hattet ihr / Hatten Sie Computer in der Schule?

2.1

a 2 – b 3 – c 1 – d 5 – e 8 – f 6 – g 4 – h 7

2.2

1. d – 2. a – 3. b – 4. h – 5. g – 6. f

3

1. + 2. Unglaublich! / Das ist nicht wahr! / Wie bitte? / Das kann doch nicht sein! / Wirklich?

Hörtexte

Hier finden Sie alle Hörtexte, die nicht oder nicht komplett in den Einheiten abgedruckt sind.

1 Auf Reisen

1.5

🗩 Hartmann.

🖐 Hallo, Sandra, ich bin's, Florian.

🗩 Hallo! Bist du schon aus dem Urlaub zurück? Wie war denn die Reise?

🖐 Na ja, wir haben drei Tage bis nach Athen gebraucht – mit dem Auto dauert es lange.

🗩 Und was habt ihr in Athen gemacht?

🖐 Wir sind vier Tage in Athen geblieben und haben die Stadt mit ihren Sehenswürdigkeiten besichtigt. Du weißt schon, die Akropolis, ein paar Kirchen und Museen ... Und ich habe sehr viele Fotos gemacht.

🗩 Das glaube ich. Und dann? Ihr hattet doch drei Wochen Urlaub!

🖐 Nach fünf Tagen sind wir dann mit dem Schiff auf die Insel Paros gefahren. Dort wohnt eine Freundin von mir – Ariadne. Wir haben sie besucht und haben dort auch gewohnt.

🗩 Gibt es auf Paros viele Sehenswürdigkeiten?

🖐 Na ja, nicht so viele. Wir waren jeden Tag am Strand und sind schwimmen gegangen. Der Strand dort ist super! Und abends sind wir mit Ariadne in die Disko oder in eine Bar gegangen. Wir haben viele Leute kennengelernt – aus den Niederlanden, aus Russland und – klar – auch viele Griechen.

🗩 Da habt ihr nicht viel geschlafen, oder?

🖐 Doch, wir haben dann immer am Vormittag geschlafen. Am letzten Wochenende waren wir auch in den Bergen – ganz toll! Und dann sind wir wieder nach Bremen zurückgefahren.

🗩 Und seid ihr auch wieder direkt zurückgefahren? Also drei Tage im Auto ohne Pause?

🖐 Nein. Wir haben einen Tag Pause in Linz gemacht und haben dort ein Konzert besucht.

🗩 Und am Montag musst du wieder arbeiten?

🖐 Ja, leider. Das ist immer....

4.2

🗩 Jan Schmidt.

🖐 Hallo, Jan! Hier ist Verena. Wir haben uns lange nicht gehört. Wie geht es dir?

🗩 Hallo, Verena, mir geht's super. Ich besuche gerade Marcel in Neustadt in der Schweiz.

🖐 Oh, klasse! Und, wie gefällt dir Neustadt? Was hast du gemacht?

🗩 Es ist sehr schön hier. Ich habe jetzt nur ein kleines Problem.

🖐 Ein Problem?

🗩 Ja, ich suche mein Fahrrad. Ich war gestern mit dem Fahrrad im Zentrum. Dann hat es aber geregnet und ich bin mit dem Bus zurück zu Marcels Wohnung gefahren. Das Fahrrad steht noch im Zentrum. Aber wo?

🖐 Oh je! Du weißt nicht, wo das Fahrrad steht?

🗩 Nein, leider nicht. Das habe ich vergessen. Tja, jetzt muss ich es suchen.

🖐 Dann erzähl mal: Wo warst du gestern? Wie bist du gefahren?

4.3

🖐 Dann erzähl mal: Wo warst du gestern? Wie bist du gefahren?

🗩 Also von Marcels Haus bin ich zuerst zum Stadttor gefahren. Das ist gegenüber vom Bahnhof. Ich habe das Tor fotografiert und bin fast gegen eine Ampel gefahren. Danach bin ich durch das Stadttor bis zum Park gefahren. Gegenüber vom Park gibt es eine Eisdiele, dort habe ich ein Eis gegessen. Dann bin ich nach links gefahren und weiter geradeaus durch den Park. Ich bin auch an einer Bank vorbeigefahren. Das weiß ich noch.

🖐 Okay, und dann?

🗩 Dann war ich noch ein bisschen shoppen: Zuerst in einer Buchhandlung, dann in einer Boutique. Ich habe mir zwei Hosen gekauft. Dann bin ich aus dem Geschäft gekommen und es hat geregnet und ich habe den Bus zu Marcels Haus genommen. Mensch, jetzt weiß ich es wieder: Das Fahrrad steht vor der Boutique, gegenüber von der Bushaltestelle. Ja, da muss es stehen. Da habe ich ...

6.2

Dann müssen Sie eine Verlustanzeige machen. Wir müssen zuerst ein Formular ausfüllen. – Wann und wo haben Sie den Schlüssel verloren? – Sagen Sie mir bitte Ihren Namen, Ihre Adresse und Ihre Telefonnummer. – Gut, dann müssen Sie hier das Formular unterschreiben. – Hier unten bitte. Gut, wir rufen Sie an, wenn wir Ihren Schlüssel finden.

7.3

Wien hat viele Sehenswürdigkeiten, zum Beispiel den Stephansdom im Zentrum. Der Stephansdom ist eine Kirche. Es gibt ihn seit 1147 und er ist 137 Meter hoch. Dann gibt es auch das Hundertwasserhaus. Der Architekt war Friedensreich Hundertwasser. Das Haus ist bunt und sehr interessant. Aber in dem Haus wohnen auch Leute. Es gibt dort 50 Wohnungen. Auch der Wiener Prater – das ist ein Park – ist sehr bekannt. Das Riesenrad kennt jeder. Hier gibt es viele Karussells, viele Restaurants und eine Disko.

8.1

Ich heiße Clara und ich wohne in Wiener Neustadt. Die Stadt ist nicht groß und auch nicht klein, sie ist ruhig, aber sie ist auch interessant. Es gibt genug Schulen und Arbeitsplätze und viele Freizeitangebote. Deshalb wohne ich sehr gern hier. Ich mag auch die Natur sehr gern. Wiener Neustadt hat viele Radwege und man braucht nur 15 Minuten, dann ist man in der Natur.

Deshalb kann man viel Sport machen und man muss nicht ins Fitnessstudio gehen. Touristen kommen auch nach Wiener Neustadt: Sie besuchen die Sehenswürdigkeiten oder sie gehen in der Fußgängerzone shoppen.

2 Ziele und Wünsche

1.2 + 1.3

👍 Willkommen zu Migration im 21. Jahrhundert. Welche Wünsche und Hoffnungen haben Sie? Das fragen wir heute im Studio Herrn Schweikert, Frau Simonis und Herrn Wang. Herr Schweikert, Sie möchten nach Schweden auswandern. Warum?

💬 Ich bin Arzt und arbeite jetzt in Hamburg. Aber die Arbeit gefällt mir hier nicht. Ich muss lange arbeiten und bekomme nicht sehr viel Geld. Ich möchte gerne nach Schweden gehen, weil die Chancen für Ärzte dort viel besser sind. Die Arbeit als Arzt ist dort nicht so schwer und man bekommt auch mehr Geld. Natürlich muss ich dann auch Schwedisch lernen, weil die Sprache für Ärzte sehr wichtig ist. Aber das ist kein Problem für mich, ich lerne gerne Sprachen. Ich mache jetzt schon einen Kurs. Der Lehrer ist sehr nett und es macht Spaß.

👍 Frau Simonis, Sie gehen nach Brasilien, haben Sie mir gesagt.

👍 Ja, ich gehe zu meinem Mann nach Brasilien. Er ist Brasilianer und hat hier in Deutschland studiert. Wir haben uns an der Uni kennengelernt, weil wir beide Architektur studiert haben. Er ist schon fertig und hat in Brasilien eine gute Stelle bekommen. Deshalb ist er sofort nach Brasilien zurückgegangen. Ich muss noch eine Prüfung machen, deshalb muss ich noch bis August hier bleiben. Das ist nicht einfach. Aber mein Mann und ich, wir skypen viel – manchmal zwei oder drei Stunden – besonders am Wochenende. In Brasilien will ich zuerst ein Praktikum bei einem Architektur-Büro machen. Ich möchte ja auch die Sprache lernen.

👍 Herr Wang, Sie sind aus China nach Deutschland gekommen. Sie sprechen sehr gut Deutsch. Was machen Sie in Deutschland?

👍 Ich bin Musikstudent, ich spiele Geige. Ich habe erst in Shanghai studiert und jetzt studiere ich an der Musikhochschule in München. Ich bin sehr zufrieden hier in Deutschland, im Land von Bach und Beethoven. Das war immer mein Traum. Hier sind auch die Chancen für Musiker besser. Es gibt hier in Deutschland viele Orchester, vielleicht finde ich später eine Stelle. Deutsch habe ich schon in der Schule in China gelernt, deshalb habe ich jetzt keine Probleme. Aber ich denke oft an meine Familie und Freunde in China, dann bin ich ein bisschen traurig. Wir können nur chatten und skypen. Meine Eltern waren noch nie in Deutschland. Ich hoffe, sie können mich bald auch einmal besuchen.

4.2

1. Entschuldigung, könnten Sie mir einen Stift geben, bitte?
2. Entschuldigung, könntet ihr die Flasche holen?
3. Entschuldigung, könntest du mir die Handynummer sagen?
4. Entschuldigung, könnten Sie ein Taxi rufen, bitte?

7.2

Ich bin Studentin und habe in Portugal Technik an der Universität studiert. Ich möchte gern ein Praktikum in Deutschland machen, weil es dort viele Firmen für Umwelttechnik gibt. Ich habe in der Schule Deutsch gelernt, aber ich habe viele Wörter vergessen und die Grammatik kann ich auch nicht mehr so gut. Aber ich habe viel allein wiederholt. Ich höre auch manchmal Radio auf Deutsch oder sehe Filme auf Deutsch. Jetzt kann ich schon viel verstehen, aber ich möchte auch noch einen Kurs machen, weil ich Deutsch ohne Fehler sprechen und schreiben möchte.

8.3

💬 Guten Tag, mein Name ist Lauris Rimkus. Ich möchte einen Kurs machen, ich möchte fotografieren lernen.

👍 Guten Tag, Herr Rimkus, bitte nehmen Sie Platz.

💬 Danke.

👍 Sie möchten einen Fotokurs bei uns machen? Ja, das ist möglich. Wir haben verschiedene Kurse in unserem Programm. Sind Sie Anfänger?

💬 Na ja, ich habe natürlich schon viel fotografiert, im Urlaub und so, aber ich habe noch nie einen Kurs gemacht. Ich habe mir ein Buch gekauft, aber ich habe nur sehr wenig gelesen. Es war sehr schwer, ich habe fast nichts verstanden, deshalb möchte ich lieber einen Kurs machen.

👍 Ja, in einem Kurs mit einem Lehrer kann man viel leichter lernen. Unsere Kurse sind auch nicht sehr groß, manchmal nur sechs bis acht Teilnehmer, maximal sind es zwölf Teilnehmer. Der Kursleiter hat also viel Zeit und kann viel erklären. Aber Sie brauchen eine Kamera.

💬 Das ist kein Problem, ich habe eine. Und wann finden die Fotokurse statt?

👍 Wir haben Intensivkurse am Wochenende, das sind dann am Samstag sechs Stunden und am Sonntag noch einmal sechs Stunden.

💬 Nein, am Wochenende kann ich nicht, da muss ich meistens arbeiten. Haben Sie auch einen Kurs in der Woche?

👍 Ja, es gibt auch einen Kurs in der Woche. Der ist immer am Mittwoch von 16 bis 18 Uhr.

💬 Das geht. Was kostet der Kurs?

👍 Moment ... der Kurs kostet 62 Euro.

💬 Hm, das ist nicht so billig.

👍 Ja, aber es sind auch sechs Termine und die Gruppe ist klein.

💬 Das stimmt, dann ist es günstig. Wann beginnt der Kurs?

👍 Am 27.07. beginnt der nächste Kurs oder dann wieder im September, am 09.09.

💬 Nein, nein, ich möchte lieber jetzt anfangen. Das ist der nächste Mittwoch, oder?

👍 Ja, genau, nächste Woche. Bitte sagen Sie mir noch einmal Ihren Namen ...

Alles klar?

2

1. Sie möchten mit Frau Müller sprechen? Gerne. Einen Moment, ich verbinde.
2. Sprachinstitut Rose, mein Name ist Mittermeier, was kann ich für Sie tun?
3. Es tut mir leid, bei Frau Schmitt ist besetzt. Ich kann Ihnen die Durchwahl geben.
4. Guten Tag, Müller mein Name, ich möchte bitte mit Frau Tanner sprechen.

3 Hoch, höher, am höchsten

1.4

Wollen wir am Wochenende Volleyball spielen? – Wir können auch Klettern gehen. – Und was ist mit Kopf-Tischtennis? – Ich habe auch schon einmal Tango getanzt! Das war schön! Tango tanzen, was meinst du?

4.3

👍 Weißt du, ich würde so gerne etwas Neues machen. Ich habe nur noch keine Idee. Barbara, ich habe gehört, dass du ganz viele Hobbys hast.

💬 Ja, das stimmt. Bei mir ist fast jeden Tag was los. Montags gehe ich abends immer schwimmen. Das ist gut für meinen Rücken und da kann ich entspannen.

👍 Ich schwimme nicht so gerne. Stimmt es, dass du dienstags immer klettern gehst?

💬 Nein, nicht dienstags. Ich gehe donnerstags klettern. Der Kurs am Dienstag ist schon voll. Aber donnerstags sind noch Plätze frei. Komm doch mit!

👍 Gute Idee, dann komm ich nächste Woche einfach mal mit. Und hast du auch noch andere Hobbys?

💬 Klar, Tangotanzen zum Beispiel. Ich mag sehr gern argentinische Musik. Ich gehe jeden Freitag mit meinen Kollegen Tango tanzen. Danach gehen wir immer in ein argentinisches Restaurant. Das ist ein guter Start ins Wochenende.

👍 Wow, du bist ja richtig aktiv. Ich gehe nur einmal im Monat wandern. Früher habe ich auch Volleyball gespielt. Aber jetzt habe ich leider keine Zeit mehr. Aber du! An drei Tagen in der Woche machst du etwas.

💬 Nicht nur an drei Tagen. Dienstags mache ich nichts, da habe ich frei, aber mittwochs treffe ich regelmäßig ein paar Freunde. Wir kochen zusammen, weil wir alle gerne essen. Und samstags fahre ich morgens immer ein paar Stunden mit dem Fahrrad. Peter, tut mir leid, ich muss los, mein Tango-Kurs fängt gleich an. Dann bis nächste Woche beim Klettern. Du kommst doch mit, oder?

👍 Na klar, bis nächste Woche. Tschüs.

💬 Tschüs, bis dann.

5

👍 Und nun, liebe Sportsfreunde, hören Sie etwas über einen interessanten Sport: Das Becherstapeln. Dieser Sport kommt aus den USA. Man muss zwölf Becher stapeln – so schnell wie möglich. Man stapelt dreimal: zweimal drei Becher und einmal sechs Becher. Und der oder die Schnellste gewinnt. Unsere Reporterin Heide Müller war für Sie bei den deutschen Meisterschaften im Becherstapeln und hat mit ein paar Sportlern und Sportlerinnen gesprochen. Hören Sie nun ihre Reportage.

💬 Hallo! Ja, ich bin hier bei den deutschen Meisterschaften im Becherstapeln und neben mir steht Tina. Hallo, Tina! Du bist elf Jahre alt und schon zum dritten Mal mit deinem Team bei der deutschen Meisterschaft. Wie oft trainiert ihr?

👍 Wir üben zweimal pro Woche in der Schule. In den Ferien trainieren wir nicht.

💬 Was gefällt dir am Becherstapeln?

👍 Becherstapeln ist cool. Man muss sehr schnell sein und unser Team ist oft am schnellsten. Aber heute waren die anderen Teams leider besser. Na ja, wir sind ja beim nächsten Mal wieder dabei.

💬 Danke, Tina und viel Spaß noch. Neben mir steht jetzt Ralf. Hallo, Ralf, warum hast du das Hobby Becherstapeln?

👍 Nun ja, der Sport ist toll. Ich bin ja schon etwas älter, bald werde ich 65 und Becherstapeln kann ich auch noch mit 70. Das Becherstapeln macht fit. Es trainiert die Reaktion und Koordination. Die Wettbewerbe machen viel Spaß und man trifft viele nette Leute. Es ist auch toll, dass hier auch so viele Kinder und junge Leute sind. Meine Enkelkinder haben jetzt auch mit diesem Hobby angefangen und üben zu Hause in der Küche. Oh Entschuldigung, ich muss los, ich bin gleich dran.

💬 Vielen Dank, Ralf. Ja, liebe Hörerinnen und Hörer, das war's für heute von den deutschen Meisterschaften im Becherstapeln. Und damit zurück ins Studio ...

6.2

👍 In meiner Freizeit chatte ich viel und spiele gern Computerspiele. Aber am liebsten spiele ich draußen Fußball. Kannst du auch Fußball spielen?

💬 Na ja, ich finde Fußball gut, aber ich kann besser Volleyball spielen, und am besten kann ich klettern.

👍 Ich klettere auch. Und ich tanze gern und oft. Aber mein Lieblingshobby ist Kochen. Am liebsten koche ich Nudeln. Die kann ich am besten kochen.

8.2

Und hier noch ein Veranstaltungshinweis für unsere Kulturfreunde. Im Theater findet immer am ersten Sonntag im Monat ein Slam-Wettbewerb statt. Gedichte und Lieder im Wechsel. Spaß und Unterhaltung garantiert. Wer gewinnt? Das sagt das Publikum. Für jeden Poeten und jeden Sänger kann man Punkte geben. Und die Person mit den meisten Punkten gewinnt. Und wo findet der Slam statt? Im Stadttheater gegenüber vom Rathaus. Wann? Wie schon gesagt: immer am ersten Sonntag im Monat. Pünktlich um 19:00 Uhr geht es los. Wie viel kostet der Eintritt? Eigentlich ganz günstig, nur fünf Euro und für Kinder kostenlos. Also, nichts wie hin zur Literatur- und Musikshow im Stadttheater. Am nächsten Sonntag um sieben ist es wieder so weit. Viel Spaß!

Und in Ihrer Sprache?

👍 ... und Marc, was machst du gern in der Freizeit? Hast du Hobbys?

💬 Ja, ich fahre sehr gern Ski. Das ist total cool. Im Winter bin ich jedes Wochenende in den Bergen. Manchmal fahre ich allein und manchmal mit Freunden. Das macht viel Spaß. Und nach dem Skifahren kann man noch zusammen in ein Restaurant gehen und etwas essen und trinken. Das gefällt mir sehr. Aber es ist schade, dass Skifahren so teuer ist. Das finde ich nicht so gut. Das ...

4 Ein toller Fernsehabend

1.2

1. Wann und wo kommt die „Lindenstraße"? – Aha, die „Lindenstraße" kommt um zehn vor sieben im Ersten. Danke.
2. Wann und wo kommt „Wer wird Millionär?"? – Also um Viertel nach acht auf RTL. Das muss ich sehen!
3. Wann und wo kommt „Herr der Ringe"? – „Herr der Ringe" kommt um zehn nach zwei auf SAT.1? Okay.
4. Wann und wo kommt das „heute-journal"? – Um Viertel vor zehn im Zweiten ... Hm, das ist spät.
5. Wann und wo kommt „007"? – „007" kommt also um halb elf auf ProSieben. Super!

4.5

Siehst du gern fern? – Was für Sendungen siehst du regelmäßig? – Hast du eine Lieblingssendung? – Und was für andere Sendungen siehst du gern? – Was für Sendungen gefallen dir nicht? – Was für Sendungen gibt es in deinem Land?

5.3

Halli hallo, ihr Lieben da vor den Radios, es ist wieder Zeit für einen neuen Star. Heute stellen wir euch Conchita Wurst vor. Bestimmt kennt ihr alle Conchita Wurst. Doch wer ist sie wirklich? Conchita Wurst heißt eigentlich Thomas Neuwirth. Er ist ein österreichischer Sänger. Seit 2011 tritt er als Conchita Wurst auf. Conchita trägt bei ihren Shows oft elegante Kleidung: zum Beispiel lange Kleider und hohe Schuhe. Sie hat braune Augen, lange braune Haare und einen dunklen Bart. Conchita spricht gern und viel. Ihre Hobbys sind Shoppen, Musik machen und Interviews geben. Mit ihrem Song *Rise like a Phoenix* hat sie 2014 den Eurovision Song Contest in Kopenhagen gewonnen. So, ihr Lieben, nun habe ich genug erzählt, jetzt wollen wir endlich auch einen Song von ihr hören und hier ist er, der neue Song von Conchita Wurst ...

5.4

Anke Engelke ist eine deutsche Moderatorin, Sängerin, Schauspielerin und Komikerin. Sie kommt aus Kanada, aber sie lebt in Köln. Anke Engelke ist lustig, verrückt und intelligent. Von 2008 bis 2013 war sie mit ihrer Sendung „Ladykracher" auf SAT.1 besonders erfolgreich. Seit 2007 spricht sie die Stimme von Marge Simpson aus der Serie „Die Simpsons" auf Deutsch. Mit Stefan Raab und Judith Rakers hat sie 2011 den ESC moderiert. Anke Engelke war zweimal verheiratet und hat eine Tochter und zwei Söhne.

8.2 + 8.3 + 8.4

💬 Hallo, liebe Hörerinnen und Hörer, heute wollen wir in unserer Sendung junge Leute fragen, was sie über das Fernsehen denken. Neben mir steht Jonas. Jonas du bist 22 Jahre alt, wie oft siehst du in der Woche fern?

👍 Ich sehe selten fern. Ich bin viel draußen oder bei Freunden und nicht so oft zu Hause. Deshalb surfe ich lieber im Internet. Das finde ich praktischer, und man kann auch fernsehen, auch später. In der Mediathek finde ich alles.

💬 Leonie, du bist noch Schülerin, wie viele Stunden siehst du pro Tag fern?

👍 Fast gar nicht, ich sehe lieber Videos auf YouTube. Das Programm ist viel besser und die Leute sind jünger. Fernsehen ist doch für alte Leute. Ich finde *Die Lochis* klasse. Das sind zwei Brüder. Die beiden gehen noch zur Schule und machen coole Videos auf YouTube.

💬 Und du Ina? Schaust du auch *Die Lochis* auf YouTube?

👍 Nee, *Die Lochis* nicht, aber Nachrichten von LeFloid. Das ist auch ein YouTuber. Er hat sehr viele YouTube-Programme. Montags und donnerstags gibt es immer neue Nachrichten und Interviews. Die sind nicht so langweilig wie die Nachrichten im Fernsehen. Das ist viel besser und lustiger.

💬 Danke euch! Nun noch eine letzte Frage: Glaubt ihr, dass man in 20 Jahren noch fernsieht?

👍 👍 👍 Nein!

💬 Das war eine klare Antwort. Und das war's dann für heute aus meiner Sendung und weiter geht's mit dem aktuellen Song von Lena ...

5 Alltag oder Wahnsinn?

1.6

1. Wann machen Sie Mittagspause? – Ach so, zwischen eins und halb zwei.
2. Ab wann fährt der Bus? – Oh, ab sechs Uhr. Das ist früh.
3. Bis wann arbeiten Sie heute? – Ach so, bis 17 Uhr. Das ist gut.
4. Ab wann haben Sie Urlaub? – Oh, ab Montag. Super!
5. Wann trainieren Sie im Fitnessstudio? – Was? Zwischen 20 und 23 Uhr? So spät?
6. Bis wann brauchen Sie die Informationen? – Oh, schon bis morgen ...

2.3

- Hi, Simone. Wie war dein Tag?
- Oh, spannend. Ich habe heute Morgen etwas ausprobiert. Ich habe genau aufgeschrieben, wann ich was gemacht habe.
- Aha. Und?
- Also, ich bin um sechs Uhr aufgestanden. Dann habe ich Tee getrunken, das war um 6:20 Uhr. Um 6:35 Uhr habe ich Zeitung gelesen und gefrühstückt. Und um sieben Uhr habe ich mich gewaschen. Dann habe ich mich angezogen. Das war um ... warte hier: Um Viertel nach sieben habe ich mich angezogen. Und um halb acht habe ich mich gekämmt und geschminkt. Und um fünf vor acht bin ich aus dem Haus gegangen und dann habe ich genau um acht Uhr die U-Bahn genommen.
- Und jetzt?
- Jetzt weiß ich genau, wie viel Zeit ich brauche. Das ist doch toll, oder?
- Na ja ...

3.3 + 3.4 + 3.5

Hallo, hier ist Katharina Wieland. – Oh, Isabell, schön, dass du anrufst. Danke. Mir geht es gut. Und dir? – Schön, ich hatte heute einen sehr ruhigen Tag. Der Morgen hat schon super angefangen. Ich habe bis acht Uhr ausgeschlafen. Die Mädchen haben bei einer Freundin geschlafen und Thomas ist beruflich in Freiburg. – Ja, ganz allein! Ich habe natürlich gearbeitet, aber den Morgen hatte ich für mich. Ein Traum! Es war so ruhig. Ich hatte das Bad für mich allein. Ich habe Zeitung gelesen und in Ruhe gefrühstückt. – Nein, ich habe meistens keine Zeit. Ich mache das Frühstück für die Mädchen, aber ich trinke selbst nur einen Kaffee. Aber, weißt du was? Ich freue mich sehr, dass sie heute Abend alle wieder nach Hause kommen. Dann ist es morgens wieder hektisch, aber das mag ich ja auch. So, jetzt erzähl du mal ...

5.1

1. Weißt du, gestern. Also ... Das war echt blöd von mir. Es tut mir leid ... Entschuldigung!

2. Mann! Ich bin echt sauer! Warum kommt er jedes Mal zu spät? Kann er nicht ein Mal pünktlich sein? Das ärgert mich! Ich finde das echt blöd. Mann ... Wirklich ...
3. – Hallo!
   - Ja, hallo! Wie schön.
   - Toll, dass wir uns sehen. Du siehst ja gut aus.
   - Danke. Du auch.
4. – Kannst du bitte auch mal etwas im Haushalt machen?! Wie die Wohnung schon wieder aussieht! Warum muss ich hier immer alles allein machen: die Kinder, die Wäsche, das Essen ...
   - Wie bitte? Warum sagst du das? Ich mache sehr viel im Haus. Ich helfe dir sehr oft bei ...
   - Was heißt „helfen"? Das ist genauso deine Aufgabe! Wieso bin ich immer mit dem ganzen Stress allein?! Ach, weißt du was, ich hab keine Lust mehr!
5. Wow, wie toll! Schön, dass du anrufst. Ich freu mich! Wie geht's dir?
6. Oh, Mann. Schon zehn vor acht. Ich muss los ... Oh je, ich bin schon viel zu spät ... Bis heute Abend.

5.5

Was ist los? Hast du Stress? – Warum? War der Morgen wieder hektisch? – Schon wieder? Das hast du letzte Woche auch schon erzählt.

7.2

Mein Alltag ist oft sehr anstrengend. Deshalb ist Wellness für mich eine gute Erholung. In der Nähe gibt es ein schönes Hotel mit einem großen Wellnessbereich, einem Hallenbad und einem Fitnessraum. Dort kann ich baden, trainieren und ich kann mich gut entspannen. Ich liebe die Sauna und gehe gern schwimmen, vor allem im Winter. Ich gehe am liebsten allein ins Wellnesshotel.

7.8 + 7.9

- Guten Abend, liebe Zuhörer. Hier ist Marlene Wupper. Ich begrüße Sie zu unserer heutigen Sendung „Modernes Leben". Mein Gast im Studio ist Simon Walter. Herr Walter ist Chef vom Reisebüro Neue Welten, und er verkauft seit zehn Jahren Wellnessreisen. Guten Abend, Herr Walter.
- Hallo, Frau Wupper.
- Sie haben jedes Jahr mehr Kunden. Warum sind Wellnessreisen so beliebt?
- Viele Menschen haben eine anstrengende Arbeit und viel Stress. Und sie wollen auch in der Freizeit immer etwas Tolles machen. Ich glaube, im Alltag gibt es heute einfach zu wenig Ruhe.
- Wohin gehen denn die Reisen, die man bei Ihnen buchen kann?
- Oh, wir haben viele tolle Reisen in Europa im Angebot – vor allem in Südeuropa – und in den letzten Jahren sind auch Orte in Asien – Thailand,

Japan und Bali – dazugekommen. Aber es gibt auch Reisen nach Deutschland, Österreich und in die Schweiz. Da ist für jeden etwas dabei.

🗨 Gibt es ein Land, das für Ihre Kunden besonders attraktiv ist?

👍 Im Moment sind unsere Yoga-Reisen in die Türkei besonders beliebt. Aber auch unsere Wellness-reisen nach Thailand sind für viele Kunden sehr interessant.

🗨 Yoga, Pilates, Tai-Chi – wie wichtig ist Ihren Kunden das Sportangebot?

👍 Früher war Wellness vor allem Sauna und Massagen. Heute wollen viele Menschen im Urlaub auch sportlich aktiv sein. Sie wollen gesund leben und essen.

🗨 Und was ist für Sie ein perfekter Wellnessurlaub?

👍 Ich mache seit vielen Jahren Yoga. Bei Yoga-Reisen kann ich mich am besten erholen. Ich war im letzten Jahr zwei Wochen mit einem tollen Yoga-Lehrer in Griechenland. Ich hatte zwei Yoga-Kurse am Tag, gutes Essen und Massagen am Strand – besser kann es nicht sein.

🗨 Danke für das Gespräch, Herr Walter!

👍 Gerne.

6 Die schwarzen oder die bunten Stühle?

1.6

1. Wie viel kostet der schwarze Schreibtischstuhl?
2. Wie viel kostet das altmodische Telefon?
3. Wie viel kostet die weiße Schreibtischlampe?
4. Wie viel kosten die blauen Hefte?
5. Wie viel kostet der rote Papierkorb?
6. Wie viel kostet das kleine Bücherregal?
7. Wie viel kostet die gelbe Tasche?
8. Wie viel kosten die bunten Stifte?

1.8

1. Wie finden Sie den schwarzen Schreibtischstuhl?
   – Ich finde den schwarzen Schreibtischstuhl elegant.
2. Wie finden Sie das altmodische Telefon?
3. Wie finden Sie die weiße Schreibtischlampe?
4. Wie finden Sie die blauen Hefte?
5. Wie finden Sie den roten Papierkorb?
6. Wie finden Sie das kleine Bücherregal?
7. Wie finden Sie die gelbe Tasche?
8. Wie finden Sie die bunten Stifte?

3.2

Guten Tag, kann ich Ihnen helfen? – Ja gern. Schauen Sie mal hier. Wie gefallen Ihnen diese Sofas? – Nein, tut mir leid. Im Moment haben wir keine schwarzen Sofas. Aber wir haben hier ein sehr schönes Sofa in Grau. Ein sehr dunkles Grau. – Das ist gerade im Angebot. Nur 599 Euro. – Ja, natürlich. Das ist kein Problem. Das kostet dann 100 Euro.

4.2

🗨 Wo ist der blaue Anzug?
👍 Der blaue Anzug? Das weiß ich nicht. Hier ist kein blauer Anzug.
🗨 Und wo ist der graue Anzug?
👍 Wo ist das grüne Kleid?
👍 Wo ist die rote Bluse?
🗨 Wo sind die gelben Schuhe?

4.3

🗨 Siehst du den blauen Anzug?
👍 Den blauen Anzug? Nein, ich sehe keinen blauen Anzug.
🗨 Siehst du den grauen Anzug?
👍 Siehst du das grüne Kleid?
👍 Siehst du die rote Bluse?
🗨 Siehst du die gelben Schuhe?

5.3

Gestern habe ich eine besondere Lampe gekauft. Der schwarze Fuß ist aus Metall. Der gelbe Lampenschirm ist aus Stoff. Die Lampe macht ein sehr warmes Licht. Leider war die Lampe nicht billig. Sie hat 495 Euro gekostet.

5.4

Hallo, Anna, ich habe mal ein bisschen im Internet gesucht und habe zwei tolle leichte Laptops für dich gefunden. Hast du was zum Schreiben? Ich sag dir die Infos. Also, der erste Laptop ist super leicht, nur 1,2 Kilo. Natürlich nicht ganz billig: 690 Euro. Aber die Farbe ist fantastisch. Ein dunkles Rot – und er hat ein interessantes Design. Sieht cool aus! Der zweite Laptop ist auch nicht schlecht. Er ist noch ein bisschen leichter, nur 1,1 Kilo. Und er ist ein bisschen billiger: 479 Euro. Aber die Farbe gefällt mir nicht – einfach schwarz. Auch das Design ist normal, nichts Besonderes, ein bisschen langweilig. Ruf mich mal an!

Und in Ihrer Sprache?

Guten Tag, Martha Winkler von der Firma Möbelmann. Sie haben am 31.10. ein Sofa bei uns bestellt. Wir können das Sofa am 25.11. liefern. Wir kommen zwischen 10 und 15 Uhr. Passt Ihnen der Termin? Bitte rufen Sie uns an. Wir können auch einen Termin im Dezember machen. Unsere Telefonnummer ist 02634-643190. Viele Grüße und einen schönen Abend!

Alles klar?

3

🗨 Mode-Shop, mein Name ist Dönges, was kann ich für Sie tun?
👍 Guten Tag, ich möchte die Jacke aus dem Angebot bestellen.
🗨 Wir haben gerade keine Jacke im Angebot. Tut mir leid. Sagen Sie mir bitte die Bestellnummer?
👍 Das ist die LM 25909.
🗨 LM 25909? Ach so, die war letzte Woche für 39,90

Euro im Angebot. Aber nur in Grün. Jetzt kostet sie 44,90 Euro.

🔲 Ach so, hm, 44,90 Euro – das ist nicht so günstig. Aber ich nehme die Jacke. Haben Sie die Jacke auch in Blau?

🔲 Ja, in Blau gibt es die auch.

🔲 Toll, dann nehme ich die Jacke bitte einmal in Blau.

🔲 Gern, sagen Sie mir doch bitte Ihren Namen und Ihre Adresse ...

7 Wohin kommt das Sofa?

3.2

🔲 Immobilien Huber, grüß Gott. Was kann ich für Sie tun?

🔲 Grüß Gott. Thomas Reiter hier. Ich interessiere mich für die Wohnung in Leopoldskron.

🔲 Es tut mir leid, aber die Wohnung ist nicht mehr frei.

🔲 Oh! Das ist schade.

🔲 Aber wir haben zwei andere Wohnungen in Salzburg-Süd, die Sie vielleicht interessieren.

🔲 Ja? Wie sind die Wohnungen?

🔲 Die erste Wohnung ist eine 2-Zimmer-Wohnung im ersten Obergeschoss. Das ist eine Altbauwohnung, aber sehr modern und schön. 78 Quadratmeter.

🔲 Das klingt gut. Aber wie hoch ist die Miete?

🔲 956 Euro im Monat plus Betriebskosten.

🔲 Betriebskosten, das sind die Nebenkosten, oder?

🔲 Ja, richtig. Die Nebenkosten, also Wasser und Heizung.

🔲 Und wie hoch sind die Nebenkosten?

🔲 Die jetzigen Mieter zahlen circa 70 Euro im Monat.

🔲 70 Euro, das geht noch. Kann ich die Wohnung besichtigen?

🔲 Ja, ich habe heute Nachmittag einen Besichtigungstermin. Sie können gern um 16:30 Uhr kommen.

🔲 Oh, um halb fünf arbeite ich noch. Könnte ich auch etwas später kommen? Um halb sechs?

🔲 Ja, kein Problem. Wir sind da.

🔲 Super. Wie ist die Adresse?

🔲 Beethovenstraße Nummer 71, erstes Obergeschoss.

🔲 Und die zweite Wohnung?

🔲 Sie ist auch in Salzburg-Süd, in der Heilbrunner Allee. Das ist eine 3-Zimmer-Wohnung im Erdgeschoss.

🔲 Toll – drei Zimmer! Aber dann ist die Wohnung bestimmt auch teurer.

🔲 Ja, aber sie ist auch größer, 98 Quadratmeter. Die Miete ist 1280 Euro im Monat. Das ist die Warmmiete, also schon mit den Nebenkosten. Sie müssen keine weiteren Nebenkosten bezahlen.

🔲 Keine Nebenkosten? Toll! Ich möchte die Wohnung gern besichtigen.

🔲 Morgen Abend gibt es einen Termin. Sie können um 19:15 Uhr kommen. Passt das?

🔲 Ja, 19:15 Uhr ist in Ordnung ... In der Heilbrunner Allee, sagen Sie?

🔲 Ja. Heilbrunner Allee Nummer 19. Im Erdgeschoss.

🔲 Gut, danke. Bis heute Nachmittag dann.

🔲 Ja, bis dann. Auf Wiederhören.

🔲 Auf Wiederhören.

4

Immobilien Huber, grüß Gott. Was kann ich für Sie tun? – Ja, die Wohnung in Salzburg-Süd ist noch frei. Das ist eine schöne 2-Zimmer-Wohnung im Erdgeschoss. Die Miete ist 800 Euro plus Nebenskosten. – Das kann ich nicht genau sagen, aber die jetzige Mieterin hat mir gesagt, dass sie 40 Euro für Wasser und Strom und 50 Euro für die Heizung bezahlt. – Morgen Abend gibt es einen Besichtigungstermin. Sie können um 20 Uhr kommen. Passt das? – Die Adresse ist Heilbrunner Allee Nummer 139, im Erdgeschoss. – Ja, bis dann. Auf Wiederhören.

6.2

1. 🔲 So, die Fahrräder sind im Garten.
   🔲 Im Garten? Aber die Fahrräder kommen in den Keller!
   🔲 Ach so, die Fahrräder kommen also in den Keller.
2. So, der Computer steht auf dem Küchentisch. – Natürlich, der Computer kommt auf den Schreibtisch.
3. So, die Lampe steht neben der Kaffeemaschine. – Ach so, die Lampe kommt also neben die Pflanze.
4. So, das Sofa steht zwischen den Regalen. – Ach so, das Sofa kommt zwischen die Fenster.
5. So, die Kiste mit den Büchern steht jetzt im Schlafzimmer. – Ach so, die Kiste mit den Büchern kommt ins Arbeitszimmer.

8.1

🔲 Schau mal, das blaue Sofa da.

🔲 Oh ja, es ist schön, aber sehr groß. Wohin kommt es?

🔲 Ich denke, das Sofa kommt ins Wohnzimmer unter das Fenster.

🔲 Unter das Fenster? Ja, gute Idee! Also kaufen wir das blaue Sofa. Und wie findest du den schwarzen Sessel?

🔲 Ich finde ihn sehr modern. Willst du ihn im Arbeitszimmer haben?

🔲 Nein, ich denke, er passt besser ins Wohnzimmer, an die Wand zwischen den Balkon und die Küche.

🔲 Okay, das finde ich gut. Dann brauchen wir auch noch einen Schrank fürs Schlafzimmer ... Schau mal, diese Schränke gefallen mir gut.

🔲 Hm, nicht schlecht. Ich habe eine Idee: Der große Schrank mit dem Spiegel kommt ins Schlafzimmer links neben die Tür.

🔲 Neben die Tür? Das ist eine gute Idee! Ja, und der kleine Schrank kommt ins Kinderzimmer zwischen das Bett und das Fenster.

👍 Zwischen das Bett und das Fenster? Hm, gibt es genug Platz? Das Kinderzimmer ist sehr klein.

💬 Ja, er passt bestimmt. Und jetzt brauche ich noch eine Lampe für mein Arbeitszimmer.

👍 Die große Lampe hier ist schön …

💬 Ja, toll! Sie kommt rechts neben den Schreibtisch vor das Fenster!

👍 Dann haben wir alles, oder? Hoffentlich können sie alles liefern. Du weißt doch, wie diese Möbelgeschäfte manchmal …

9.3

3-Zimmer-Wohnung in Berlin-Kreuzberg – kostenlos! Ich reise für zwei Monate nach Brasilien. Möchten Sie in meiner Wohnung in Berlin wohnen? Die Wohnung ist 89 Quadratmeter groß und hat drei Zimmer. Ich will keine Miete bekommen, aber Sie müssen die Neben-kosten bezahlen: Strom, Wasser und Heizung. Ich habe auch ein Haustier, einen Hund, „Rollo". Er ist sehr süß. Sie müssen mit ihm dreimal am Tag spazieren gehen. Was noch? Bitte gießen Sie auch meine Pflanzen und räumen Sie manchmal auf. Das ist alles. Sind Sie interessiert? Dann rufen Sie mich an: 0176 5254337.

8 Lebenslinien

1.2 + 1.3

1. Mein erster Schultag war im Jahr 1988 und ich kann mich noch gut an meine Schulzeit erinnern. Am Anfang wollte ich nicht zur Schule gehen. Ich wollte lieber im Kindergarten bleiben. Wir haben in einem kleinen Dorf gewohnt und ich hatte einen langen Schulweg. Im ersten Jahr hat meine Mutter mich mit dem Auto zur Schule gebracht, später bin ich mit dem Bus gefahren. In der Schule war ich oft das böse Kind, weil ich mich immer mit meinem Freund unterhalten habe. Ich habe auch oft meine Schulsachen vergessen. Dann mussten mir die anderen Kinder Papier, einen Radiergummi oder ihr Buch leihen. Aber ich hatte Glück: Meine erste Lehrerin war toll. Wir durften sie alles fragen. Das Lernen hat bei ihr richtig Spaß gemacht. Ich habe sehr schnell lesen gelernt und dann konnte ich selbst Bücher lesen. Schreiben hat mir auch gefallen. Ich habe meiner Mutter manchmal kleine Zettel geschrieben. Ich weiß noch, dass sich meine Mutter sehr gefreut hat. Auch der Musikunterricht war toll. Wir haben oft gesungen und auch getanzt!

2. Ich bin in den 70er Jahren zur Schule gegangen. Ich wollte sehr gern zur Schule gehen und dann war er da: der erste Schultag! Ich weiß noch, dass wir von der Lehrerin eine gelbe Mütze bekommen haben. Wir sind zu Fuß zur Schule gegangen und die Autofahrer konnten uns gut sehen. Meine Mutter ist nur in der ersten Woche mitgekommen. In unserem Haus waren wir viele Kinder, deshalb mussten wir nie alleine gehen. Das war gut, weil der Weg auch lang war. Wir hatten immer viel Spaß, auch in den Pausen auf dem Hof. Die Klassen waren damals sehr groß: Wir waren 36 Kinder in meiner Klasse! Manchmal war es sehr laut und dann musste sich ein Kind in die Ecke stellen. Aber meine erste Lehrerin war sehr nett und ich war gern in der Schule. Später hatte ich dann auch andere Lehrer – die waren leider nicht so nett wie Frau Krämer. Die Musiklehrerin war sehr streng. Wir mussten immer aufstehen und „Guten Morgen, Frau Hammerschmidt" singen. Sie ist auch immer sehr böse geworden und der Unterricht hat keinen Spaß gemacht. Ich singe bis heute nicht mehr gern.

3.3

1. Ich durfte auch im Winter Eis essen. – Wirklich? Du durftest auch im Winter Eis essen?
2. Ich musste immer um 18 Uhr zu Hause sein.
3. Ich durfte nicht mit anderen Kindern spielen.
4. Ich musste nie für die Prüfungen lernen.
5. Ich konnte schon im Kindergarten meinen Namen schreiben.
6. Ich durfte immer bis zehn Uhr abends ausgehen.

4.3 + 4.4

💬 Willkommen zu unserer Sendung „Lebensläufe – vom Hobby zum Beruf". Heute spreche ich mit zwei Frauen. Sie haben ihr Hobby zum Beruf gemacht. Sie sind Marina Meierfeld, nicht wahr?

👍 Ja, aber sag doch bitte Marina.

💬 Okay, Marina, wie alt bist du und was für eine Ausbildung hast du gemacht?

👍 Ja, also ich bin 1986 in Jena geboren und dort auch zur Schule gegangen. 2004 habe ich das Abitur gemacht. Meine Eltern wollten, dass ich studiere, aber ich wollte nicht zur Universität. Ich habe schon immer gern mit schönen Dingen gearbeitet. Deshalb habe ich bis 2007 eine Ausbildung zur Dekorateurin gemacht.

💬 Aber du arbeitest heute nicht als Dekorateurin, oder, Marina?

👍 Nein, nicht mehr. Ich habe vier Jahre für ein großes Möbelgeschäft gearbeitet und die Arbeit war okay, aber manchmal auch langweilig. Ich hatte viele Ideen. Aber sie haben meinem Chef oft nicht gefallen und ich durfte nicht alles machen. In der Freizeit habe ich viel fotografiert. Da konnte ich tun, was ich wollte.

💬 Und dann?

👍 Ha, das war wirklich toll! Ein Freund hat ein Foto von mir zu einem Wettbewerb geschickt. Ich habe das nicht gewusst, aber mein Foto hat gewonnen! Dann habe ich öfter für Zeitungen gearbeitet und jetzt arbeite ich schon seit fünf Jahren als Fotografin. Im Sommer hatte ich sogar eine Ausstellung.

🗨 Wie schön. Ich wünsche dir weiter viel Erfolg! Und nun zu unserem zweiten Gast: Frau Brunner, auch Sie haben Ihren Beruf gewechselt, oder?

🗨 Na ja, ich war schon immer Lehrerin. Ich bin heute 43 Jahre alt, ich bin also 1973 geboren. Ich war eine gute Schülerin und habe 1991 das Abitur gemacht. Dann habe ich Deutsch und Sport studiert und danach habe ich fünfzehn Jahre als Lehrerin hier in Hamburg an einer Realschule gearbeitet.

🗨 Okay, das klingt doch gut!

🗨 Na ja, die Arbeit war sehr anstrengend. Die Schule hatte viele Probleme: viele Schüler, zu wenig Lehrer und zu wenig Geld und so. Für mich war besonders schwer, dass ich fast keine Zeit für mein Hobby hatte.

🗨 Was für ein Hobby, Frau Brunner?

🗨 Ich tanze seit meiner Kindheit. Für mich ist das sehr wichtig. In meiner Straße gibt es eine Tanzschule. Dort habe ich schon als Kind getanzt. Vor einem Jahr musste die Tanzschule fast schließen. Klaus, der Chef, wollte die Tanzschule verkaufen. Also habe ich die Schule gekauft und bin Tanzlehrerin geworden. Ich hatte eigentlich zu wenig Geld, aber meine Familie und alle meine Freunde haben mir Geld geliehen. Heute verdiene ich weniger Geld als früher, aber mein Hobby ist jetzt mein Beruf – und das ist super!

🗨 Das sind doch zwei tolle Lebensläufe. Wir machen jetzt etwas Musik und Sie, liebe Hörerinnen und Hörer, können uns anrufen und uns erzählen, wie …

6.2

Von 1993 bis 1997 bin ich zur Grundschule gegangen. Danach habe ich von 1997 bis 2002 die Realschule besucht. Ich hatte nicht so gute Noten. Deshalb konnte ich nicht studieren. Meine Eltern wollten, dass ich eine Ausbildung zur Sachbearbeiterin mache. Das war sehr langweilig. 2004 habe ich dann das Abitur gemacht und bin zur Universität gegangen. Bis 2009 habe ich Kunst studiert. Seit 2011 arbeite ich in einem Museum und organisiere Ausstellungen.

6.4

Wie lange sind Sie zur Schule gegangen? – Wie war Ihre Schulzeit? Hatten Sie gute Noten? Und wie waren Ihre Lehrer und Lehrerinnen? – Haben Sie eine Ausbildung gemacht oder haben Sie studiert?

Bildquellen

Cover Gabriele Croppi/SIME/Schapowalow – **S.6** *1* Fotolia/daviles; *2* Fotolia/detailblick-foto; *3* Fotolia/roza; *4* Colourbox.com; *5* Shutterstock/Jordan Tan; *6* Fotolia/Africa Studio – **S.7** *Rahmen* shutterstock/wessley; **S.8** *Hintergrund* Fotolia/incomible; *1* Fotolia/tl6781, *2* Fotolia/Pefkos; *3* Fotolia/Martin Debus; *4* Fotolia/oxie99; *5* Shutterstock/Radu Bercan; *6* Fotolia/bricef; *7* Fotolia/tang90246; *8* Fotolia/Björn Wylezich; *9* Fotolia/JSFoto – **S.10** *Fahne* Fotolia/littlehandstocks; **S.11** *Rahmen* Fotolia/Becker; *links* Shutterstock/badahos; *Mitte* Fotolia/A. Karnholz; *rechts* Fotolia/JFL Photography – **S.14** *oben* Fotolia/radub85; *a* Fotolia/Romolo Tavani; *b* Fotolia/Zerophoto; *c* Colourbox.com – **S.15** *oben* Shutterstock/Ammit Jack; *1* Fotolia/Jasmin Merdan; *2* Shutterstock/Marko Tomicic; *3* Fotolia/jackfrog; *4* Shutterstock/Andresr; *5* Fotolia/Daniel Ernst – **S.16** *Mitte links* Fotolia/Jürgen Hüls; *1, 2, 3* Fotolia/DenisIsmagilov – **S.18** *links* Fotolia/TOLGA ILDUN; *rechts* Fotolia/Kzenon – **S.19** *links* Shutterstock/Mangsaab; *rechts* Shutterstock/Kilroy79 – **S.24** *1* fotolia/kmiragaya; *2* fotolia/ jonnysek; *3* fotolia/alco81; *4* fotolia/soleg; *5* Shutterstock/bikeriderlondon; *6* shutterstock/"O'SHI" – **S.26** *oben links* Cornelsen Schulverlag/Wildfang; *oben rechts* Fotolia/comodigit; *unten links* Cornelsen Schulverlag/Wildfang; *unten rechts* Fotolia/Jeanette Dietl – **S.27** *oben* Shutterstock/aslysun; *a* Shutterstock/Anton Watman; *b* Fotolia/auryndrikson; *c* Fotolia/liubovyashkir; *d* Fotolia/Jamrooferpix; *e* fotolia/Jonas Glaubitz; *f* Cornelsen Schulverlag/Björn Schumann; *g* fotolia/JackF; *h* Fotolia/Petair – **S.28** *oben von links nach rechts* Fotolia/Kara; Fotolia/LIPSKIY PAVEL; Fotolia/Robert Faritsch; Fotolia/Jörg Hackemann; Fotolia/golovianko; *Mitte* Shutterstock/CREATISTA; *unten von links nach rechts* Fotolia/ranftl; Fotolia/unclepodger; Fotolia/bill_17 – **S.29** *1* Fotolia/grafikplusfoto; *2* Fotolia/Alexander Rochau; *3* Fotolia/sjhuls; *4* Fotolia/Spectral-Design; *5* Shutterstock/rmnoa357 – **S.30** *1* Fotolia/MAK; *2* Shutterstock/Daxiao Productions; *3* Shutterstock/Ronnachai Palas – **S.31** *Rahmen* Shutterstock/wessley; *Mitte links* Shutterstock/A_Lesik; *Mitte rechts* Fotolia/Otto Durst; *unten links* Fotolia/Monkey Business – **S.32** *oben* Fotolia/AILA_IMAGES; *Mitte* Fotolia/Trueffelpix – **S.34** *Rahmen oben* Shutterstock/wessley; *Logos von links nach rechts* ARD Design und Präsentation; ZDF; Mediengruppe RTL; ProSiebenSat.1 Media TV Deutschland GmbH; *1* Fotolia/Elnur Amikishiyev; *2* Fotolia/claudiavija; *3* Fotolia/Fotowerk; *4* Fotolia/julien tromeur; *5* Fotolia/Francois du Plessis; *6* Shutterstock/Tatiana Belova; *7* Shutterstock/Andrey_Popov; *8* Shutterstock/VladKol – **S.35** *rechts* Shutterstock/wavebreakmedia; *Rahmen* Shutterstock/wessley – **S.37** *Mitte* Shutterstock/praszkiewicz; *unten* action press/Sehrsam,Heiko – **S.40** *oben* action press/OT, IBRAHIM; *unten* Fotolia/kartoxjm – **S.41** *1* www.youtube.com/watch?v=_b4s4M04mJI [Abrufdatum: 20.1.2016]; *2* www.youtube.com/user/LeFloid [Abrufdatum: 15.1.2016]; *3* www.ardmediathek.de/tv/sendungen-a-z?buchstabe=T [Abrufdatum: 15.1.2016] – **S.42** *Logos von links nach rechts* ARD Design und Präsentation; Mediengruppe RTL; ARD Design und Präsentation; ZDF; *unten* www.youtube.com/user/LeFloid [Abrufdatum: 15.1.2016] – **S.44** *1* doodle.com; *2* Fotolia/sunt; *3+5* Fotolia/Nataliya Yakovleva; *4* Fotolia/Nikolai Titov; *6* Fotolia/Ainoa – **S.46** Fotolia/DragonImages – **S.47** *Rahmen* Shutterstock/wessley – **S.48** *1+3+5* Fotolia/Yael Weiss; *2* Fotolia/schinsilord; *4* Fotolia/HitToon.com – **S.49** *links* Fotolia/Кирилл Рыжов; *rechts* Fotolia/Monkey Business – **S.50** *Rahmen* Shutterstock/wessley; *a* Fotolia/ Monkey Business; *b* Fotolia/pure-life-pictures; *c: von links nach rechts* Fotolia/Anna Jurkovska; Fotolia/Africa Studio; Fotolia/Paul Vinten; Fotolia/Alexandre Zveiger www.photobank.ch – **S.51** *Rahmen* Shutterstock/wessley; *1* Fotolia/iordani; *2* Fotolia/chika_milan – **S.52** *1* Fotolia/Nikolai Titov; *2+4* Fotolia/Nataliya Yakovleva; *3* Fotolia/sunt; *5* Fotolia/Ainoa – **S.54** Shutterstock/Dragon Images – **S.55** *Hintergrund* Fotolia/Seraphim Vector; *1. Reihe von links nach rechts* Shutterstock/Krutikov Anton; Fotolia/Mny-Jhee; Fotolia/iuneWind; Fotolia/iuneWind; *2. Reihe von links nach rechts* Fotolia/styleuneed; Fotolia/Kitch Bain; Shutterstock/tkemot; Shutterstock/aperturesound; *3. Reihe von links nach rechts* Fotolia/bayshev; Fotolia/Neyro; Fotolia/Serghei Velusceac; Fotolia/ValentinValkov; *4. Reihe von links nach rechts* Fotolia/Axel Bueckert; Fotolia/blackday; Fotolia/DenisNata; Fotolia/Dragne Marius – **S.58** *1* Shutterstock/hans engbers; *2* Fotolia/AR; *3* Shutterstock/StockHouse; *4* Fotolia/NIKOLAY DEVNENSKI; *5* Fotolia/linjerry; *Zettel* – **S.60** *1* Fotolia/bayshev; *2* Shutterstock/DragonPhotos; *3* Fotolia/Mny-Jhee; *4* Fotolia/Marina Lohrbach; *Zeitung* – **S.61** Rahmen Shutterstock/wessley – **S.62** *1 links* Shutterstock/Dmitry Koksharov; *1 rechts* Fotolia/prescott09; *2 links* Fotolia/Mny-Jhee; *2 rechts* Fotolia/lucky_marinka; *3 links* Fotolia/Mihalis A.; *3 rechts* Fotolia/nattstudio; *unten 1* Shutterstock/DragonPhotos; *2* Fotolia/bayshev – **S.64** Cornelsen Schulverlag/Volkhard Binder, Telgte – **S.65** *Rahmen* Shutterstock/wessley; *Hintergrund* Fotolia/paulrommer; *a* Fotolia/elxeneize; *b* Fotolia/Tiberius Gracchus; *c* Fotolia/JSB31; *d* Fotolia/fottoo; *unten von links nach rechts* Fotolia/David Freigner; Shutterstock/Stuart Monk; Shutterstock/racorn – **S.66** *1* fotolia/by-studio; *2* fotolia/stockphoto-graf; *3+4* fotolia/auremar; *5* fotolia/Alexander Raths; *7+8* fotolia/ArTo – **S.67** *1–9* Fotolia/PhotoSG; *Mitte* Fotolia/Robert Kneschke – **S.68** *unten 1–4* Fotolia/Robert Kneschke – **S.69** *Rahmen* Shutterstock/wessley – **S.71** fotolia/taonga – **S.72** Fotolia/Artalis; Fotolia/Thierry RYO – **S.74** *oben* Fotolia/aloha2014; *Rahmen* Fotolia/Max Diesel; *Mitte links* Shutterstock/Alberto Zornetta; *Mitte rechts* Shutterstock/Ollyy; *Rahmen* Fotolia/Becker – **S.75** Colourbox.com – **S.77** *1. Reihe von links nach rechts* Fotolia/Myst; Fotolia/pressmaster; Fotolia/Pixelot; *2. Reihe von links nach rechts* fotolia/fudio; Fotolia/pressmaster; fotolia/Petair; fotolia/Björn Wylezich; *Mitte links* Fotolia/Oksana Kuzmina; *Mitte rechts* Fotolia/contrastwerkstatt – **S.78** *1* Fotolia/liubovyashkir; *2* Fotolia/Tomasz Zajda; *Mitte links* Fotolia/Picture-Factory; *Mitte rechts* Fotolia/sylv1rob1 – **S.80** Shutterstock/Emka74 – **S.81** *Rahmen* Shutterstock/wessley; *rechts* Shutterstock/Denis Makarenko – **S.84** *Mitte links und rechts* Cornelsen Schulverlage/Sharon Adler – **S.85** *links* Fotolia/ostap25; *rechts* Shutterstock/fiphoto – **S.90** Shutterstock/Monkey Business Images – **S.100** Fotolia/incomible

Inhalt CD